László Orbán · Wir spielen Schach

Im

I. Jugend-Schachturnier

von

Bad St. Peter-Ording

wurde

3. Sieger: Dirk Petersen

St. Peter-Ording, 8. 7. 1978

Für den Schachkreis:

Werner Schmidt Gerhard Sperling

László Orbán, geboren 1908, lebt heute in Wiesloch bei Heidelberg und schreibt Lehrbücher für Schach.
Dr. Orbán wirkte als Lehrer an Berufs- und Mittelschulen in Ungarn (bis 1945) und lehrte danach einige Jahre am Ungarischen Realgymnasium in Deutschland. Er veröffentlichte bereits ›Schach für Anfänger‹ und ›Schach als Denkspiel‹ (2. Auflage 1976, dtv 1029).

László Orbán

Wir spielen Schach

Das junior Schachbuch

Deutscher
Taschenbuch
Verlag

Zweifarbig dargestellte Spielzüge: Karl-Friedrich Schäfer
Fotos: Juliane Hehn-Kynast

Originalausgabe
Juni 1977

Umschlaggestaltung: Celestino Piatti
Umschlagbild: Juliane Hehn-Kynast
Gesamtherstellung: Kösel, Kempten
Printed in Germany · ISBN 3-423-07264-4

Inhalt

Abkürzungen

–	zieht, geht nach
×	schlägt, nimmt
+	Schach
#	Matt
(+)	aufgedecktes Schach
(#)	aufgedecktes Matt
++	Doppelschach
##	Doppelmatt
0–0	kurze Rochade
0–0–0	lange Rochade
.....	fehlender Zug
	Der Bauer wird umgewandelt in
(D)	eine Dame,
(T)	einen Turm,
(L)	einen Läufer,
(S)	einen Springer.

Das Schachspiel

Das Spiel und sein Ziel

Schach ist ein Brettspiel. Es stellt den Kampf zweier gleichstarker Armeen dar. Das Schachbrett ist ein Kampffeld, auf dem jedoch kein Blut fließt, sondern auf dem sich geistige Kräfte messen. Im Mittelpunkt eines jeden Spieles, das man »Partie« nennt, steht der König. Aufgabe der Spieler ist es, den gegnerischen König in dessen Spielraum mehr und mehr einzuengen und ihn schließlich auf dem letzten ihm verbliebenen Feld matt zu setzen, den eigenen König jedoch vor diesem Schicksal zu bewahren.

Schach ist ein persisches Wort und heißt auf deutsch König. Das Schachspiel ist also ein Königsspiel.

Die Sache des Königs wird jeweils vertreten durch die mächtige Königin, die starken Läufer und Türme, die beweglichen Pferde und die listigen Bauern. Sie alle werden durch entsprechende Schachfiguren versinnbildlicht. Jede dieser Figuren oder Figurengruppen darf nur ganz bestimmte Bewegungen (Züge) auf dem Schachbrett ausführen.

Die Spieler sind die Strategen, die den Kampf leiten. Sie planen den Angriff, verwirren den Gegner durch Finten und überdenken die Verteidigung. Sie haben es in der Hand, die Zugmöglichkeiten der einzelnen Figuren voll auszunutzen und entsprechend einzusetzen. Voraussicht, konzentrierte Überlegung, Geduld und Ausdauer, aber auch Phantasie und logisches Denken werden von den Spielern verlangt, und das sind schließlich Eigenschaften, die uns nicht nur beim Schachspiel weiterhelfen.

Das Brett

Das Schachbrett ist ein großes Quadrat, das in 64 kleine Quadrate aufgeteilt ist (Bild 1). Diese kleinen Quadrate, die sogenannten Felder, sind hell und dunkel gefärbt, damit wir sie besser unter-

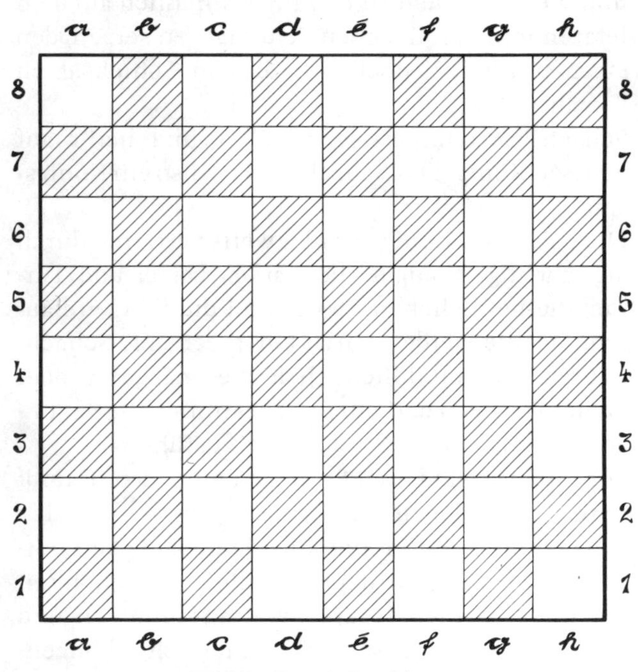

Bild 1: Das Schachbrett

scheiden können. Wir nennen die hellen Felder weiße Felder und die dunklen Felder schwarze. Achte beim Kauf deines Schachbretts darauf, daß es mit Buchstaben und Ziffern versehen ist.

Die Steine – Figuren und Bauern, ihre Namen, Bildsymbole und Abkürzungen

Wir nennen die hellen Steine weiße Steine und die dunklen schwarze Steine. Jeder Spieler bekommt 16 Steine:

8 Figuren

♜ ♞ ♝ ♛ ♚ ♝ ♞ ♜

und 8 Bauern

♟ ♟ ♟ ♟ ♟ ♟ ♟ ♟

An Figuren hat jeder Spieler:

1 König ♚ – K

1 Dame ♛ – D

2 Läufer ♝ ♝ – L

2 Springer ♞ ♞ – S

2 Türme ♜ ♜ – T

Der Bauer ♟ heißt abgekürzt: B

Das Auslosen

Wer hat den ersten Spielzug?

Bevor wir eine Schachpartie beginnen, losen wir erst einmal aus, welcher der beiden Spieler die weißen Steine bekommt. Das ist deshalb wichtig, weil immer Weiß das Spiel beginnt. Gelost wird nur für die erste Partie zwischen zwei Schachpartnern. Bei jedem weiteren Spiel werden die Farben getauscht. Auslosen kann man auf die verschiedenste Weise. Am einfachsten ist es, wenn du einen schwarzen Bauern in die eine geschlossene Faust, einen weißen Bauern in die andere nimmst (natürlich so, daß dein Gegenspieler das nicht sieht). Dein Gegner wählt, indem er auf eine deiner geschlossenen Fäuste deutet.

Wie steht das Schachbrett richtig?

Das Schachbrett wird so aufgestellt, daß sich vor jedem Spieler in der rechten Ecke ein weißes Feld befindet.
Der Spieler, der die weißen Steine hat, sitzt vor den Reihen 1 und 2, der Spieler mit den schwarzen Steinen vor den Reihen 8 und 7.

Wir stellen die Schachsteine auf

Die Figuren, auch Offiziere genannt, gehören in die erste Reihe vor jeden Spieler. Weiß stellt also seine Figuren in die Reihe 1, Schwarz seine Figuren in die Reihe 8. Die weißen Bauern kommen in die Reihe 2, die schwarzen Bauern in die Reihe 7. Schau dir dazu einmal das Bild 2 an!

Wie stellen wir die Figuren (Offiziere) richtig auf?

König und Dame, die beiden größten Steine, stellen wir auf den beiden mittleren Feldern der 1. Reihe (Weiß) und der 8. Reihe (Schwarz) auf. Dabei achten wir darauf, daß die weiße Dame ein weißes Feld und die schwarze Dame ein schwarzes Feld einnimmt. In die äußersten Felder der 1. und der 8. Reihe stellen wir die Türme der entsprechenden Farbe, daneben die zugehörigen Springer. Nun bleiben nur noch die Läufer übrig. Sie gehören auf die Felder zwischen Springer und König sowie zwischen Springer und Dame.

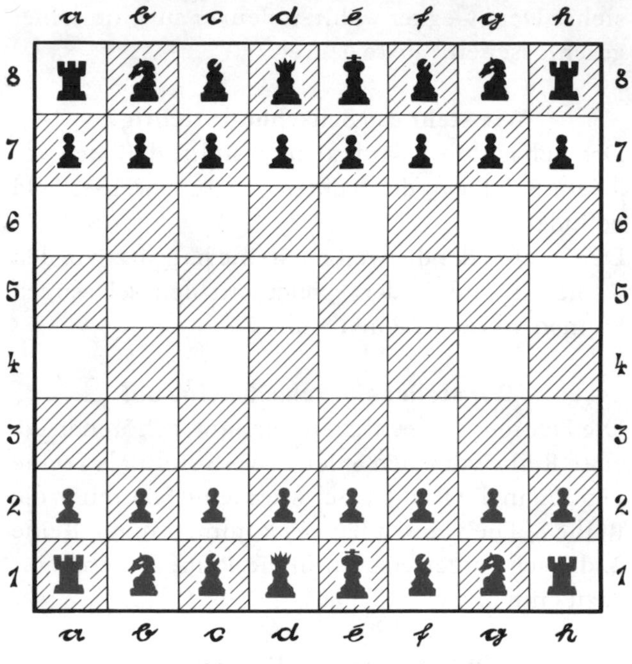

Bild 2: Die Grundstellung

Wie stellen wir die Bauern richtig auf?

Die Bauern, die kleinsten Steine des Spiels, werden in der Reihe vor den Figuren aufgestellt, also 8 weiße Bauern in Reihe 2, 8 schwarze Bauern in Reihe 7.

Das Brett mit Figuren, von Weiß aus gesehen

Das Brett mit Figuren, von Schwarz aus gesehen

Weiß beginnt (é2–é4).

Die Züge

Die Partie wird durch Züge geführt. Ein Zug ist die Bewegung eines Steins von einem Feld auf ein anderes. Zuerst macht Weiß seinen 1. Zug, dann macht Schwarz seinen 1. Zug, darauf Weiß seinen 2. und Schwarz seinen 2. Zug. So wird das Spiel Zug um Zug fortgesetzt. Du darfst jeweils nur einen Stein ziehen. Andererseits kannst du jedoch nicht auf dein Zugrecht verzichten. Es besteht Zugzwang.

Berührt – geführt

Wenn du am Zug bist und einen eigenen Stein berührst, so mußt du diesen Stein ziehen. Berührst du einen gegnerischen Stein, den du schlagen könntest, so mußt du ihn schlagen.

Willst du einen verschobenen Stein zurechtrükken, solltest du »j'adoube« sagen. Das ist ein französisches Wort, wird schaduhb gesprochen und heißt »ich stelle zurecht«.

Die Linien

Die Felder bilden verschiedene Straßen, auf denen die Schachsteine zum Angriff vorgehen oder sich zur Verteidigung zurechtstellen. Diese Straßen nennt man auch Linien.

Es gibt gerade und schräge Linien. Die geraden Linien sind die Wege und die Reihen. Die schrägen Linien werden Schrägen genannt.

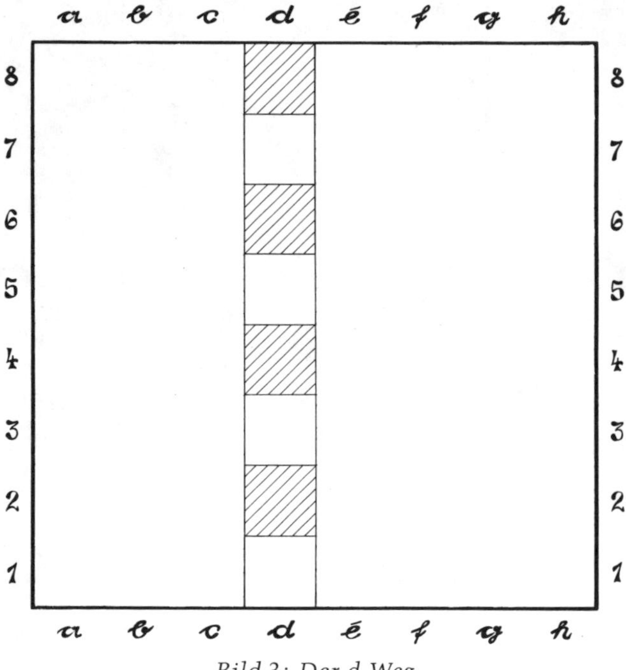

Bild 3: Der d-Weg

Die Wege

Die Wege führen direkt von unserem Lager in das Lager des Gegners (Bild 3). Es gibt acht Wege.

Die Reihen

Die Reihen sind die Querstraßen (Bild 4). Es gibt acht Reihen.

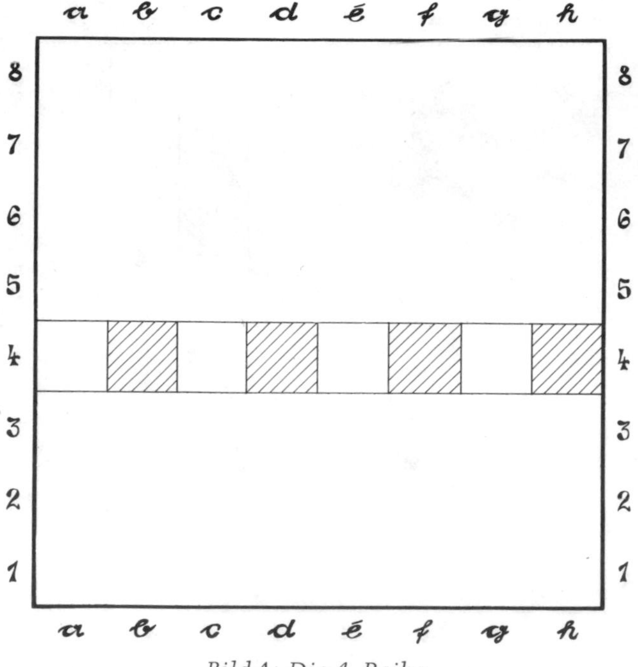

Bild 4: Die 4. Reihe

Die Schrägen

Während die Wege und die Reihen alle gleich lang sind, nämlich jeweils acht Felder, sind die Schrägen von verschiedener Länge. Die längste Schräge hat acht Felder, die kürzeste z. B. nur zwei (Bild 5).

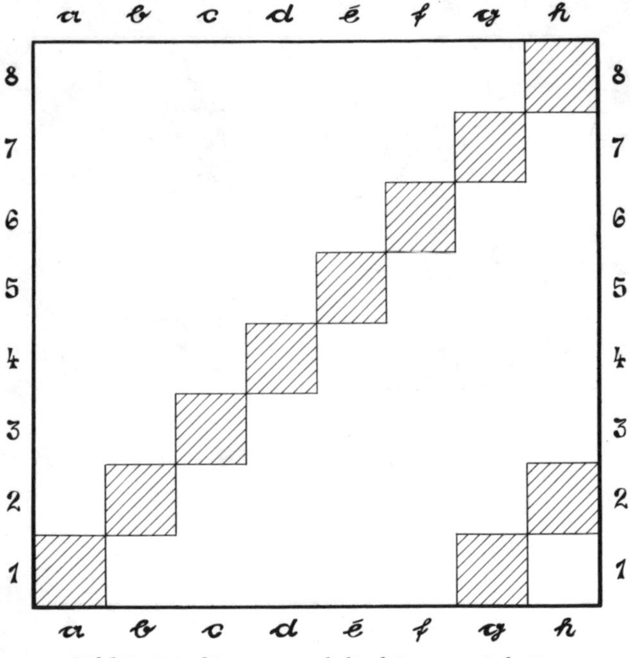

Bild 5: Die längste und die kürzeste Schräge

Die Felder

Der Name eines Feldes

Wie man den Straßen einer Stadt Namen gegeben hat, damit man sich leichter zurechtfinden kann, so hat man die Wege des Schachbretts durch Buchstaben. (z. B. Bild 3: Der d-Weg) und die Reihen durch Zahlen gekennzeichnet (z. B. Bild 4: Die 4. Reihe). Willst du nun ein Feld benennen, so brauchst du nur den Buchstaben des Weges und die Ziffer der Reihe anzugeben (z. B. d4 wie in Bild 6).

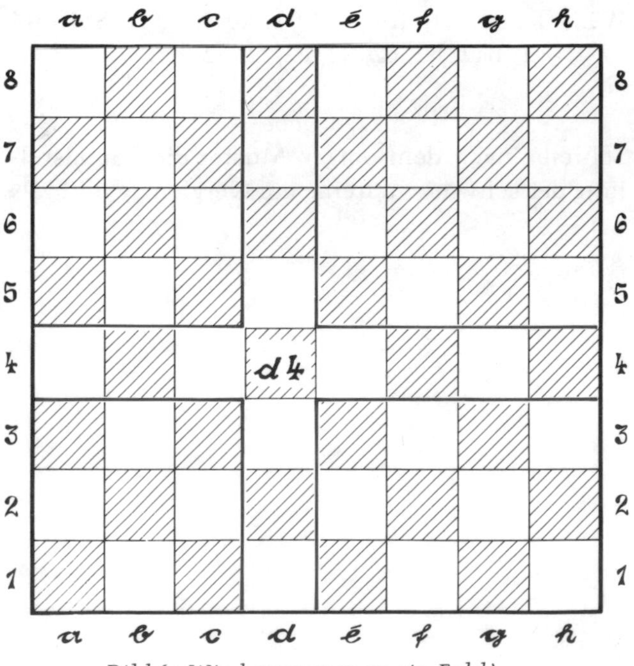

Bild 6: Wie benennt man ein Feld?

Die Aufzeichnung einer Stellung

Um die Stellung eines Schachsteins zu beschreiben, setzt du vor die Bezeichnung des Feldes noch den Namen des Steins bzw. dessen Abkürzung (vergleiche auch S. 11):

K = König	T = Turm	S = Springer
D = Dame	L = Läufer	B = Bauer

Ké4 bedeutet also, daß sich auf dem Feld é4 ein König befindet.
Wir schreiben die Grundstellung von Weiß (Bild 2) wie folgt:
Weiß: Ké1, Dd1, Ta1 und h1, Lc1 und f1, Sb1 und g1, Ba2, b2, c2, d2, é2, f2, g2, h2.

1. *Aufgabe*

Schreibe nach dem obigen Muster die Grundstellung der schwarzen Steine auf (vergleiche Bild 2)!

Wie ziehen und schlagen die Steine?

Ein Zug, das haben wir schon gelernt, ist die Bewegung eines Steins von einem Feld auf ein anderes. Führst du die Bewegung eines deiner Steine bis auf ein Feld, auf dem ein gegnerischer Stein steht, so mußt du den Stein des Gegners vom Brett nehmen und das derart freigewordene Feld mit deinem Stein besetzen. Diesen Vorgang nennt man »schlagen«. Im Unterschied zum Zugzwang jedoch besteht keine »Schlagpflicht«.

Die meisten Steine schlagen genauso wie sie ziehen. Eine Ausnahme bildet der Bauer (vergleiche auch S. 29 und 30/31).

Die Zugmöglichkeiten der Steine sind oft eingeschränkt. Die Steine des Gegners und manchmal auch die eigenen hindern den Lauf der Dame, des Turms oder des Läufers. Den Springer treffen diese Beschränkungen nicht: er darf sowohl eigene wie auch gegnerische Steine überspringen.

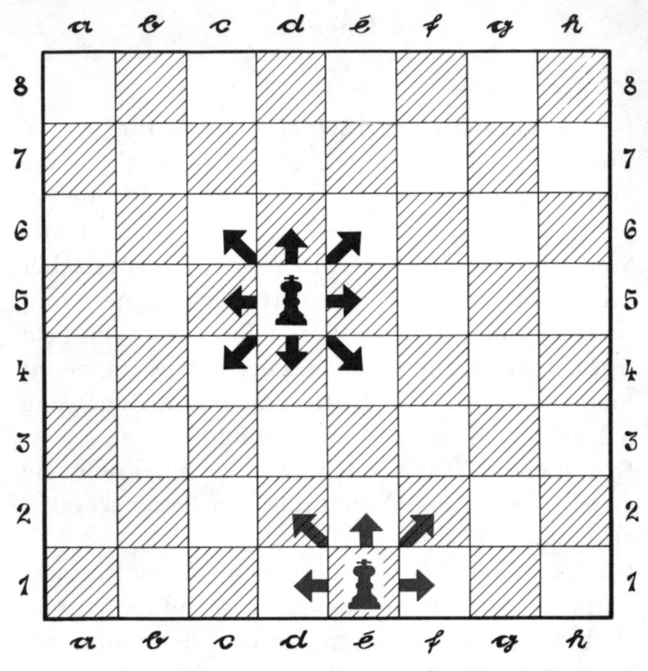

Bild 7: Wie der König ziehen und schlagen kann.

Der König

Der König darf von seinem Standort aus in jeder Richtung ein Feld weiter gehen. Er hat dazu bis zu acht Möglichkeiten (Bild 7).
Der König schlägt, wie er zieht.

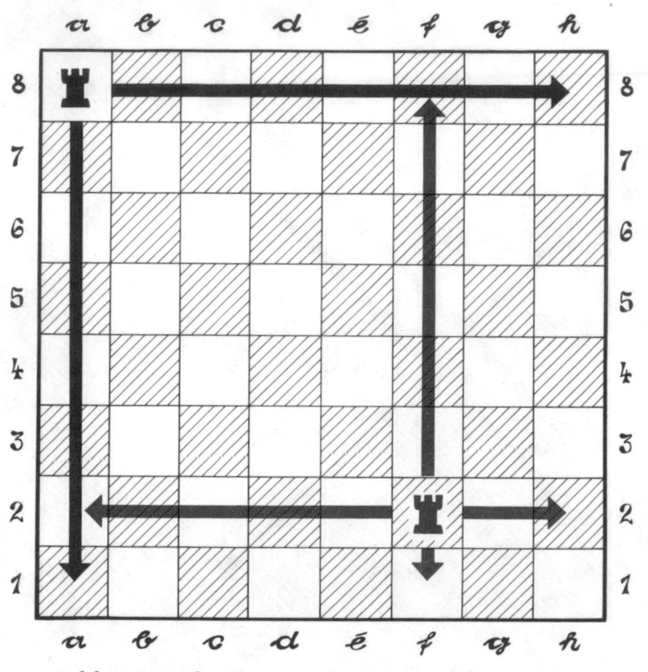

Bild 8: Wie der Turm ziehen und schlagen kann.

Der Turm

Der Turm bewegt sich in gerader Richtung (Bild 8). Er darf auf einem Wege vorwärts oder rückwärts und in einer Reihe nach rechts oder nach links ziehen. Es steht ihm frei, das nächste oder übernächste Feld zu besetzen oder gar bis zum Brettrand zu wandern. Er darf niemals schräg ziehen. Während eines Zuges darf er nicht die Richtung ändern. Der Turm schlägt, wie er zieht.

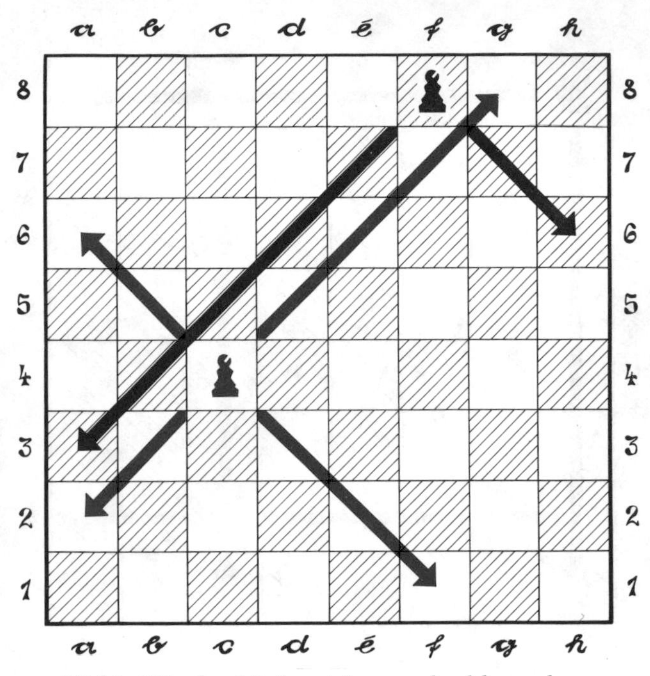

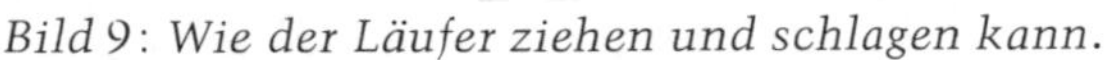

Bild 9: Wie der Läufer ziehen und schlagen kann.

Der Läufer

Der Läufer zieht auf den Schrägen (Bild 9). Er darf in beiden Richtungen so weit ziehen, wie er mag oder das Brett und die übrigen Steine dies erlauben. Der Läufer darf niemals gerade ziehen. Auch er kann während des Zuges seine Richtung nicht ändern. Der Läufer schlägt, wie er zieht.

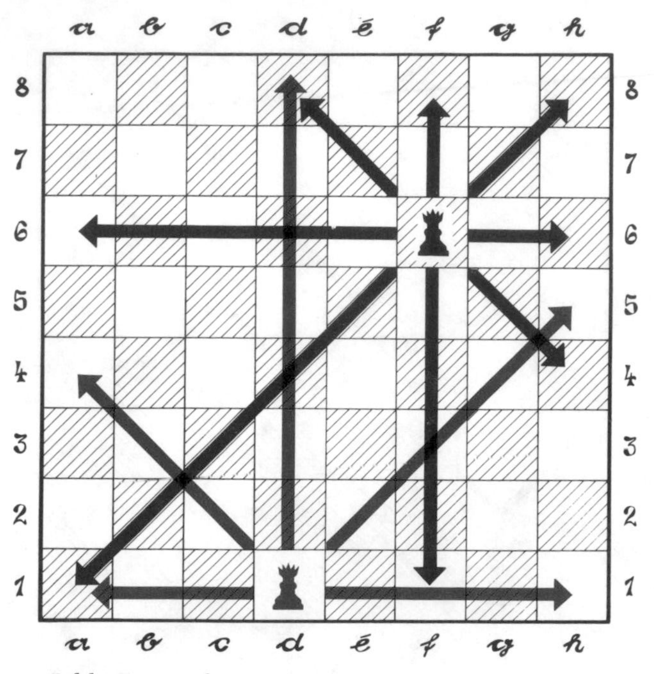

Bild 10: *Wie die Dame ziehen und schlagen kann.*

Die Dame

Die Dame kann wie der Turm und wie der Läufer ziehen. Bild 10 zeigt die ungeheure Kraft der Dame. Aus der Mitte heraus beherrscht sie beinahe die Hälfte des Bretts (Bild 70). Während des Zuges darf die Dame nicht ihre Richtung ändern.
Die Dame schlägt, wie sie zieht.

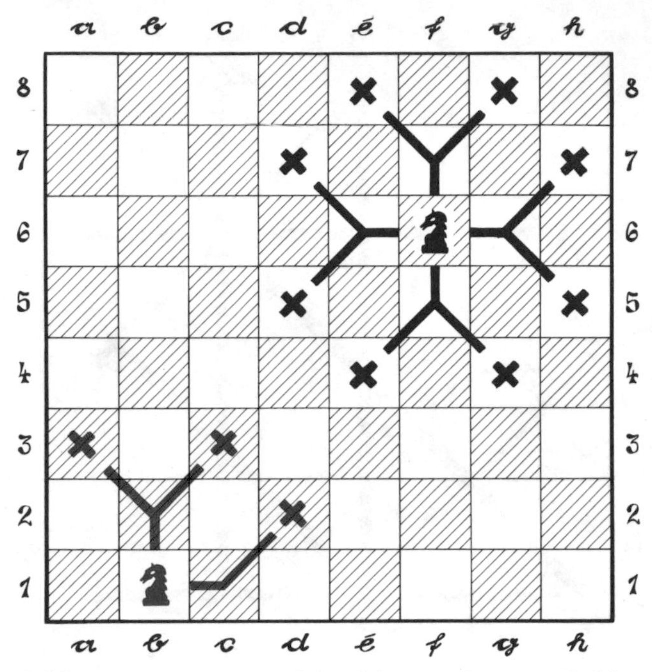

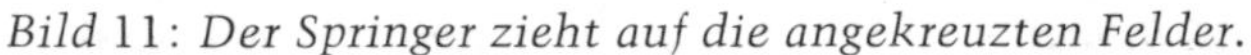
Bild 11: Der Springer zieht auf die angekreuzten Felder.

Der Springer

Der Springer ist der einzige Stein, der eigene und gegnerische Steine überspringen darf.

Der Springerzug setzt sich aus zwei Bewegungen zusammen. Zuerst geht der Springer auf dem Weg oder in der Reihe ein Feld weiter und entfernt sich von dort aus auf einer Schrägen noch um ein weiteres Feld (Bild 11).

Der Springer darf nur jene Steine des Gegners schlagen, die auf den Feldern stehen, wohin er springen kann.

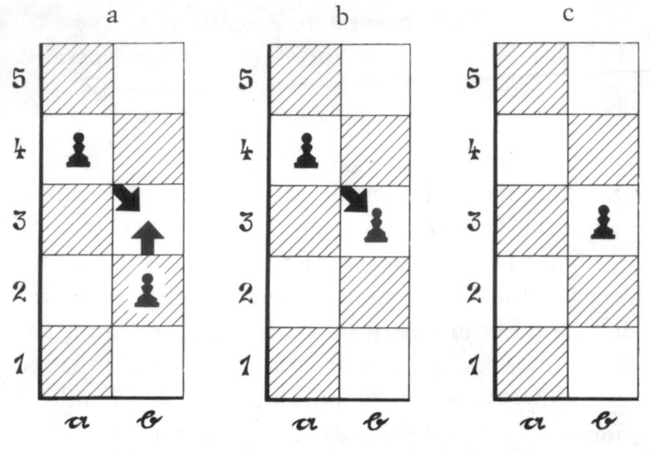

Bild 12: *Wie der Bauer gewöhnlich schlägt.*

a) Weiß will von b2 *auf* b3 *ziehen*
b) Weiß zog von b2 *auf* b3
c) Schwarz schlug von a4 *auf* b3

Der Bauer

Der Bauer zieht nur vorwärts, jeweils ein Feld. Bei seinem ersten Zug darf er auch zwei Felder vorgehen, also einen Doppelschritt ausführen.
Der Bauer schlägt jedoch schräg vorwärts. Bild 12 zeigt das gewöhnliche Schlagen.

Zwei besondere Zugarten

sind das Schlagen im Vorübergehen (en passant) und die Rochade.

Das Schlagen im Vorübergehen

Das Schlagen im Vorübergehen findet zwischen zwei einander begegnenden, gegnerischen Bauern nur beim Doppelschritt statt. Schwarz ist in unserem Beispiel mit einem Bauern in die Bretthälfte des Gegners eingedrungen und steht nun auf a4. Weiß überlegt, ob er mit seinem b-Bauern (Bauer auf dem b-Weg) im Doppelschritt von b2 auf b4 ziehen soll (Bild 13a) und tut dies auch (Bild 13b). Er

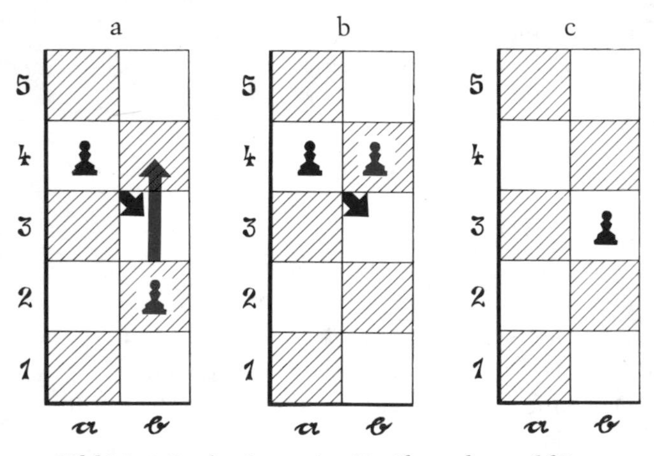

Bild 13: Wie der Bauer im Vorübergehen schlägt.

a) Vor dem Doppelschritt des weißen Bauern
b) Nach dem Doppelschritt von b2 *auf* b4
c) Nach dem Schlagen im Vorübergehen: Schwarz ist von a4 *auf* b3 *gezogen und hat den weißen Bauern* b4 *vom Brett gestellt.*

hofft, Schwarz habe Wichtigeres zu tun, als sich um einen kleinen Bauern zu kümmern. Schwarz jedoch schlägt den weißen Bauern und setzt seinen von a4 auf b3 (Bild 13c). Man schreibt diesen Zug: a4×b3 e.p. (e.p. heißt en passant und bedeutet im Vorübergehen.)

Die Bedingungen des en-passant(e.p.)-Schlagens

Das Schlagen im Vorübergehen muß unverzüglich nach dem Doppelschritt geschehen. Rückt Schwarz einen anderen Stein, erlischt in diesem Falle sein Recht auf das en-passant-Schlagen.

Die Rochade

Die Rochade ist ein sehr beliebter Zug, da sie den König in Sicherheit bringen kann und den Turm aus seiner neutralen Ecke heraus in den Kampf stellt.

Die Rochade besteht eigentlich aus zwei Zügen und ist insofern einzigartig: König und Turm ziehen gleichzeitig.

Es gibt eine kurze Rochade (0–0) und eine lange Rochade (0–0–0). Die kurze Rochade wird mit dem König und dem näher zum König stehenden Turm, die lange Rochade mit dem König und dem weiter vom König entfernt stehenden Turm ausgeführt. Und so rochierst du: Du nimmst beide Figuren gleichzeitig vom Brett und überspringst mit dem König ein Feld in Richtung Turm und setzt den Turm danach auf jenes Feld, das der König übersprungen hat. Vergleiche dazu die Bilder 14–17!

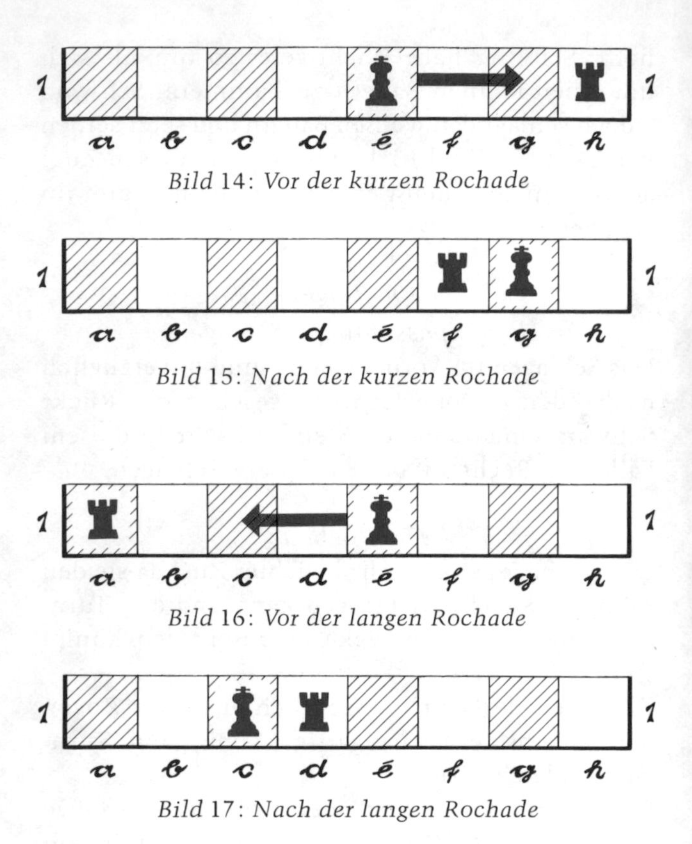

Bild 14: Vor der kurzen Rochade

Bild 15: Nach der kurzen Rochade

Bild 16: Vor der langen Rochade

Bild 17: Nach der langen Rochade

Die Bedingungen der Rochade

1) Man darf nur rochieren, solange der König noch nicht gezogen hat.
2) Man darf nur mit jenem Turm rochieren, der noch nicht gezogen hat.

3) Die Felder zwischen König und Turm müssen leer sein.
4) Es ist nicht erlaubt, in ein Schachgebot hinein oder durch ein Schach hindurch zu rochieren.
5) Ist der König angegriffen, muß erst das Schach gedeckt werden. Danach ist die Rochade gestattet.
6) Daß der Turm angegriffen ist und durch ein bedrohtes Feld ziehen muß, ist jedoch kein Hindernis.

Bild 18 veranschaulicht die Bedingungen der Rochade: Schwarz darf nicht lang rochieren, weil der

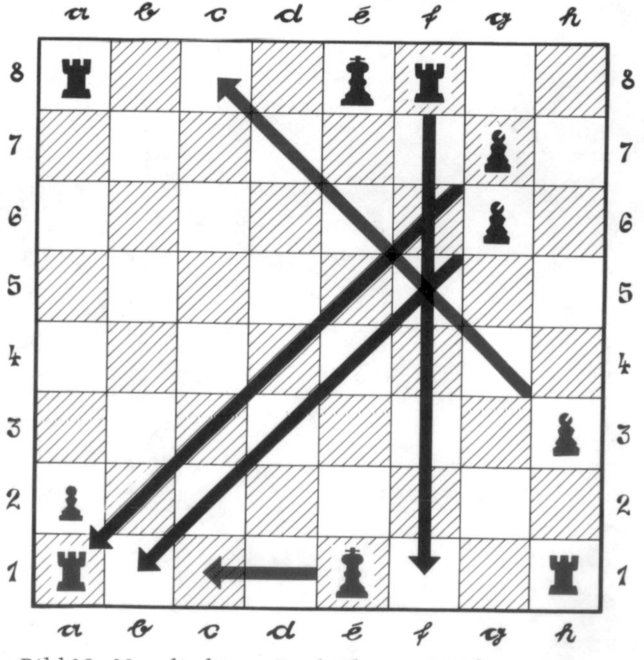

Bild 18: Nur die lange Rochade von Weiß ist gestattet.

König in das Schach des weißen Läufers käme. Schwarz darf auch nicht kurz rochieren, da der Turm bereits gezogen hat.
Weiß darf nicht kurz rochieren, weil der König durch das Schach des schwarzen Turmes gehen müßte. Dagegen kann Weiß lang rochieren, obwohl der Turm angegriffen ist und durch ein bedrohtes Feld ziehen muß.

Weitere Regeln

Schach

Wenn ein Stein den König angreift, sagt man »Er bietet Schach«. Es ist üblich, den Gegner auf die dem König drohende Gefahr aufmerksam zu machen. Das geschieht mit dem Wort »Schach«. Das Schach soll laut und deutlich, aber mit ruhiger Stimme angesagt werden. Der Spieler des bedrohten Königs ist verpflichtet, das Schach unbedingt im nächsten Zug zu decken.

Matt

Der angegriffene König ist matt, wenn er a) zwischen sich und den schachbietenden Stein keinen schützenden Stein seiner Farbe setzen kann, wenn er b) den schachbietenden Stein nicht schlagen kann und wenn er c) dem Schachgebot nicht mehr durch Wegzug entgehen kann. Die Partie ist damit zu Ende. Die mattsetzende Partei hat das Spiel gewonnen.

Remis

Remis bedeutet unentschieden. Ein Schachspiel ist in folgenden Fällen remis:

1. *bei Patt*

Patt nennt man eine Stellung, in der der nicht angegriffene König in Zugzwang steht und nur auf von Schach bedrohte Felder ziehen könnte.
Der Unterschied zwischen Matt und Patt besteht

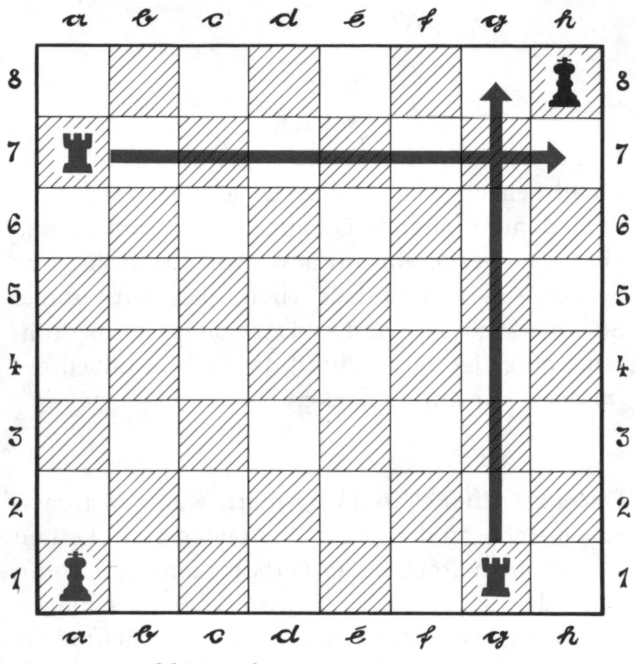

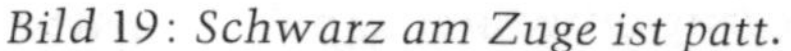
Bild 19: Schwarz am Zuge ist patt.

darin, daß der König bei Matt in Schach steht und bei Patt nicht. Das Patt gilt als unentschieden.
Bei Matt wie bei Patt ist der König gefangen. Er hat keinen gültigen Zug mehr. Wohin er auch ziehen möchte, stets käme er in Schach.
In Bild 19 hat Weiß gerade Tg7–g1 gezogen und Schwarz ist patt. Trotz der Übermacht von zwei Türmen ließ Weiß den sicheren Gewinn aus der Hand gleiten. Er hätte dem schwarzen König das Feld g8 zum Ziehen freigeben sollen.

Schwarz am Zuge ist patt.
(Weiß: Ka1, Ta7, Tg1; Schwarz: Kh8)

2. *bei Dauerschach*

Es gibt in verlorenen Stellungen manchmal Gelegenheit zu ständigen Schachgeboten. Da der angegriffene Gegner das Schach abwenden muß, hat er keine Möglichkeit, die Partie zu gewinnen oder den Mattzug auszuführen. Siehe Bild 20 und 21!

Folgende Zeichen mußt du kennen, um die nächsten Partiebeschreibungen zu verstehen:

– zieht, geht nach
× schlägt, nimmt

+ Schach
# Matt
(+) aufgedecktes Schach (Abzugsschach)
(#) aufgedecktes Matt (Abzugsmatt)
(Vergleiche auch die Abkürzungen auf S. 8)

Bei Zugbeschreibungen fällt das B für Bauer weg. Also: statt Bé2–é4 nur é2–é4.

Im übrigen: Weiß wird stets links, Schwarz rechts angegeben.

In Bild 20 hat Schwarz einen Turm mehr als Weiß. Außerdem droht Schwarz mit Da5–a1#. Aber Weiß ist am Zuge:

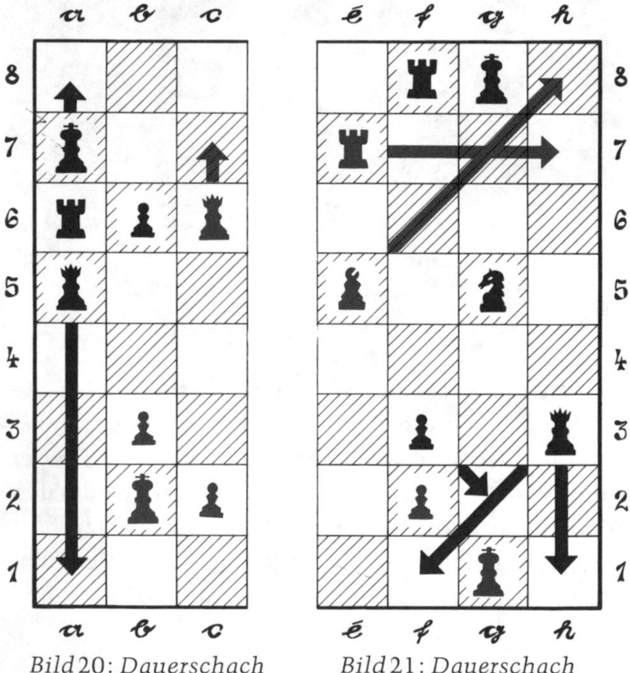

Bild 20: Dauerschach *Bild 21: Dauerschach*

Weiß	Schwarz
1. Dc6–c7+	1. Ka7–a8
2. Dc7–c8+	2. Ka8–a7
3. Dc8–c7+	usw.

Das ließe sich unendlich wiederholen. Schwarz kann nicht gewinnen. Das Spiel ist remis.

In Bild 21 hat Schwarz eine Dame mehr. Überdies scheint Dh3–g2# unabwendbar zu sein. Aber Weiß ist am Zug:

Weiß	Schwarz
1. Te7–g7+	1. Kg8–h8
2. Tg7–f7(+)	2. .....

Ein prächtiges Schach. Man nennt es aufgedecktes Schach (was noch näher auf S. 47 erklärt wird). Schwarz kann den weißen Turm weder mit dem Turm noch mit dem Springer schlagen, weil er zuerst das Schach des Läufers decken muß. Er hat keine andere Wahl:

Weiß	Schwarz
2.	2. Kh8–g8
3. Tf7–g7	usw.

Weiß gibt keine Ruhe. Schwarz kann nicht mattsetzen. Remis.

3. *bei Stellungswiederholung*

Wenn eine Stellung mit demselben Spieler am Zug sich dreimal wiederholt, darf jeder der beiden Partner das Spiel für unentschieden erklären.

4. *bei ungenügenden Streitkräften*

Wenn die vorhandenen Steine zum Matt nicht ausreichen, ist das Spiel remis. Dies ist z. B. der Fall, wenn der stärkere Spieler neben dem König nur einen Läufer oder einen Springer hat. Das Spiel ist ebenfalls remis, wenn beide Könige allein zurückgeblieben sind.

Wie heißt dieser Spielausgang?
(Weiß: Kc5; Schwarz: Ké5)

5. *bei der Regel der 50 Züge*

Wenn ein Spieler (der am Zuge ist) nachweist, daß mindestens 50 Züge von beiden Seiten geschehen sind, ohne daß ein Stein geschlagen worden ist oder ein Bauer gezogen hat, ist die Partie remis.

6. *bei beiderseitiger Übereinkunft*

Diese Art von Remis ist auch möglich: ein Spieler bietet Remis an, der andere geht auf den Vorschlag ein.

Schwarz gibt auf.
(Weiß: Kc5, Td6, Bb7; Schwarz: Ké8, Bg7)

Aufgeben

Nicht jede Partie wird bis Matt gespielt. Sieht ein Spieler, daß seine Stellung hoffnungslos ist, kann er aufgeben. Er verzichtet auf die Fortführung des Spiels.

Das Aufgeben geschieht entweder mit den Worten »Ich gebe auf« oder wortlos, indem man seinen König niederlegt. Wer aufgibt, hat die Partie verloren.

Einiges zur Spieltechnik

Der Spieß

Die Dame, der Turm und der Läufer sind Linienfiguren. Sie bewegen sich auf Linien. Der Turm zieht in geraden, der Läufer auf schrägen Linien. Die Dame bewegt sich auf allen Linien.
Der König, der Springer und der Bauer sind keine Linienfiguren.
Die Linienfiguren wirken in die Ferne. Sie können in einem Zug von einem Rand bis zum anderen ziehen. Es kommt daher oft vor, daß die Linienfigur zwei hintereinander stehende Steine angreift.
Der Spieß ist solch ein Doppelangriff in einer Richtung – gegen zwei hintereinander stehende Steine.

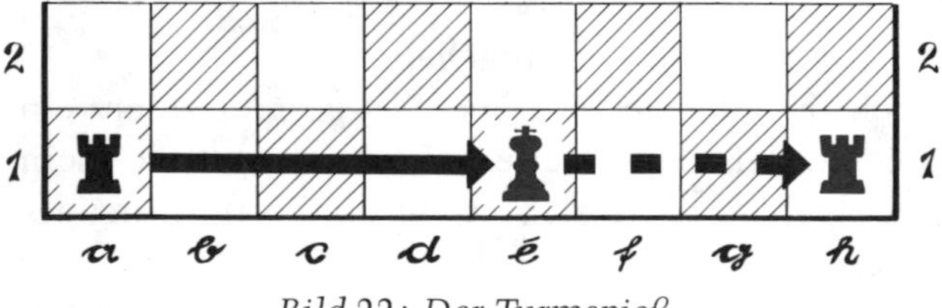

Bild 22: Der Turmspieß

Bild 22 zeigt den Turmspieß, Bild 23 den Läuferspieß. Der König muß aus dem Schach ziehen und der Turm wird geschlagen.

Der Läuferspieß
(Weiß: Kd1, Lc4; Schwarz: Ké6, Tg8)

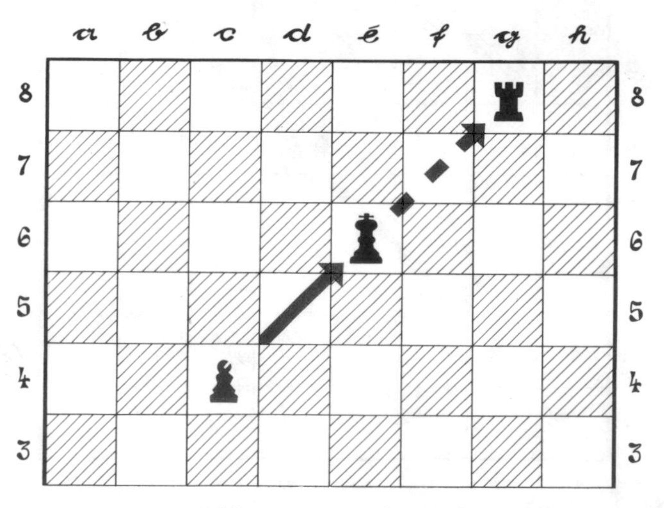

Bild 23: Der Läuferspieß

Den Doppelangriff der Dame bezeichnet man nicht als Damenspieß. Die Dame spießt die gegnerischen Steine entweder auf Turmart oder auf Läuferart auf. Bei dem Spieß ist die vordere Figur (in unserem Beispiel der König) die wertvollere.

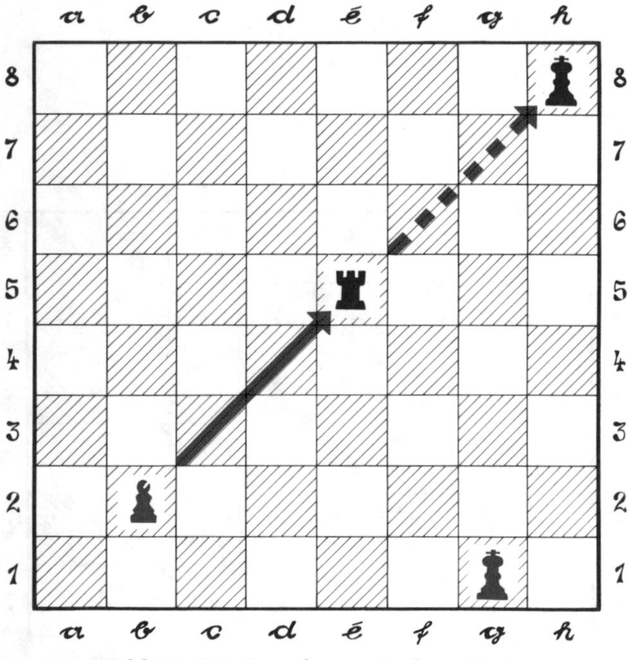

Bild 24: Die Fesselung mit dem Läufer

Die Fesselung

Die Fesselung ist – wie der Spieß – der Angriff einer Linienfigur auf zwei hintereinander stehende Steine des Gegners. Nur ist bei der Fesselung die hintere Figur die wertvollere.

In Bild 24 hat der Läufer den Turm gefesselt. Der Turm darf nicht ziehen, weil dadurch sein König in Schach geraten würde.

Die Fesselung mit dem Läufer
(Weiß: Kg1, Lb2; Schwarz: Kh8, Té5)

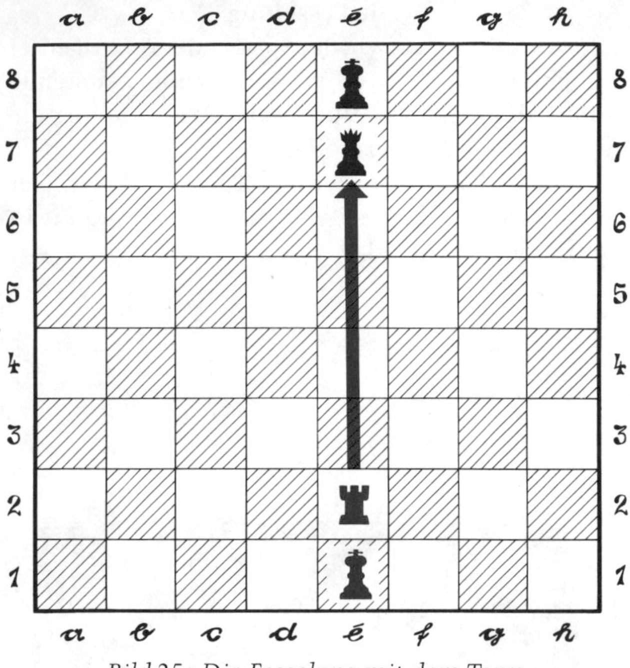

Bild 25: Die Fesselung mit dem Turm

In Bild 25 hat der Turm die Dame gefesselt. Der Turm schlägt die Dame, der schwarze König den weißen Turm. Schwarz erleidet einen großen Verlust, weil die Dame viel wertvoller als der Turm ist.

In Bild 26 hat Weiß mit 1. Lf1–c4 den Turm gefesselt.

1. Kg8–f7

Der König deckt den Turm. Schwarz hofft, nach

dem Abtausch 2. Lc4×Té6+, Kf7×Lé6 das Remis zu sichern. Er wird aber arg enttäuscht:

2. Kf4–f5 **2. Kf7–é7**
3. Lc4×Té6

und Weiß setzt in wenigen Zügen matt.

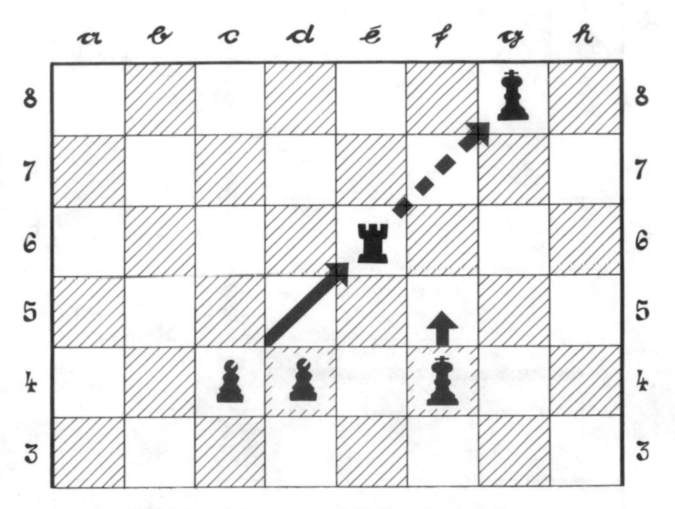

Bild 26: Eine vergebliche Verteidigung

Das aufgedeckte Schach (Abzugsschach)

Ein aufgedecktes Schach entsteht, wenn ein Stein, der durch seine Stellung das Schachgebot eines anderen Steines seiner Farbe verhindert hat, wegzieht. Damit wird das Schachgebot aufgedeckt.
In Bild 27 bedroht der Läufer den schwarzen König. Der König ist nicht angegriffen, solange der weiße Turm die Bahn des Läufers verstellt. Zieht aber der Turm ab, greift der Läufer automatisch den König an. Zum Beispiel:

Tf3–f1 (+)

Das ist ein aufgedecktes Schach (oder Abzugsschach).

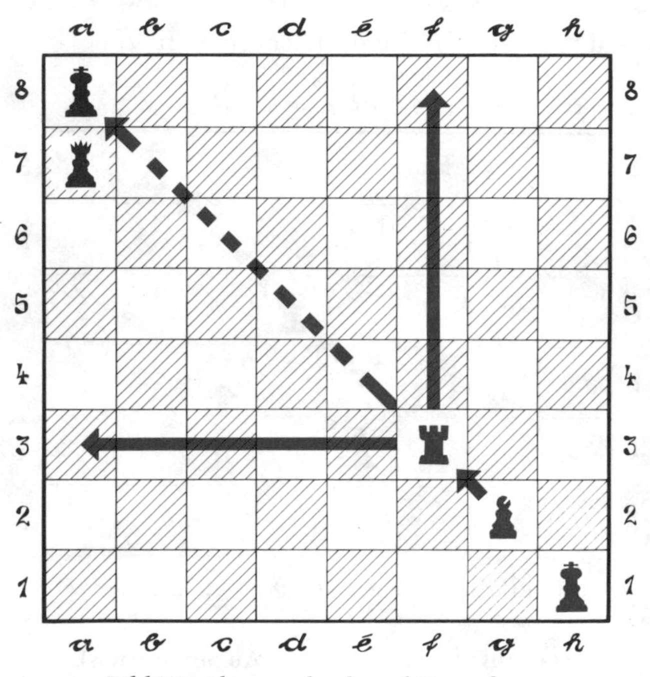

Bild 27: Abzugsschach und Doppelmatt

Beim aufgedeckten Schach steht das Schachzeichen in Klammern. Ein aufgedecktes Schach ist besonders gefährlich, weil sich der abziehende Stein jede Frechheit erlauben darf. In unserem Beispiel kann der abziehende Turm ungedeckt die mächtige Dame angreifen:

Tf3 – f7 (+)
oder **Tf3 – a3 (+)**

und die Dame darf ihn nicht schlagen, weil der König im Schach steht. Schwarz muß also den König ziehen und verliert die Dame.

Das Doppelmatt

Ein Doppelmatt ist ein Mattsetzen durch zwei schachbietende Steine in einem Zug. Dies ist durch ein aufgedecktes Schach möglich.
So hat Weiß in Bild 27 noch eine vernichtende Fortsetzung:

Tf3 – f8##

Doppelmatt durch Doppelschach: Nicht nur der Turm bietet Schach, sondern auch der aufgedeckte Läufer.
Das Doppelschach ist deshalb so gefährlich, weil es nur durch die Flucht des Königs abgewehrt werden kann. Wollte Schwarz das Turmschach mit Da7 – b8 decken, so bietet noch immer der Läufer Schach. Falls er mit Da7 – b7 das Läuferschach abwendet, bietet weiterhin der Turm Schach.
In Bild 28 hat Schwarz zu seinem Unglück mit 1. ..... Df8 – d6 den weißen Turm angegriffen. Durch das Abzugsschach

2. Ld8 – c7 (+)

könnte Weiß die wahnwitzige Dame erbeuten, denn Schwarz muß zuerst das Schachgebot beantworten.
Noch stärker ist

2. Ld8 – f6##

Sowohl der weiße Turm wie auch der Läufer bieten

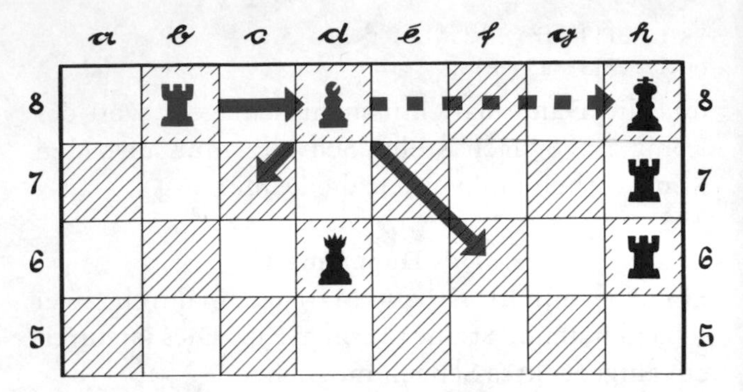

Bild 28: Nochmals Doppelmatt

Schach. Schwarz kann jedoch zwei Figuren nicht auf einmal schlagen. Er ist durch Doppelschach mattgesetzt.

Der Doppelangriff (die Gabel)

Unter Doppelangriff verstehen wir Fälle, in denen ein Stein mit einem Zuge gleichzeitig zwei feindliche Steine bedroht. Wir können mit jedem Stein Doppelangriffe vornehmen. Der Doppelangriff in verschiedene Richtungen heißt Gabel (im Unterschied zum Doppelangriff in einer Richtung, dem Spieß). Der Doppelangriff ist gefährlicher als der einfache Angriff – besonders dann, wenn eine der angegriffenen Figuren der König ist.

1. *Die Königsgabel*

In Bild 29 hat der Turm (leichtsinnig) Schach geboten. In Bild 30 sehen wir, wie Schwarz reagiert. Nach 1. Th6 – é6, Ké8 – d7 sind die beiden weißen

Figuren angegriffen. Der König verspeist zum Gabelfrühstück entweder den Turm oder den Läufer. Wäre nur eine Figur angegriffen, hätte diese einfach wegziehen können.

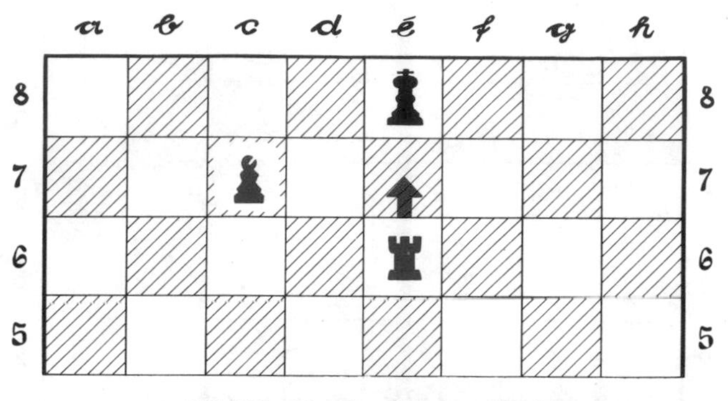

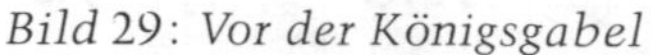

Bild 29: Vor der Königsgabel

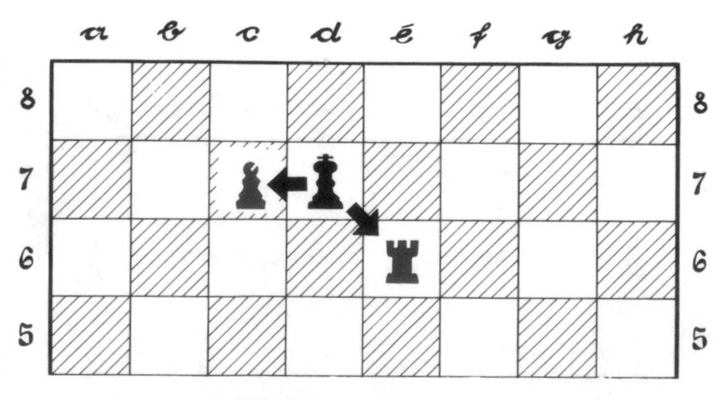

Bild 30: Die Königsgabel

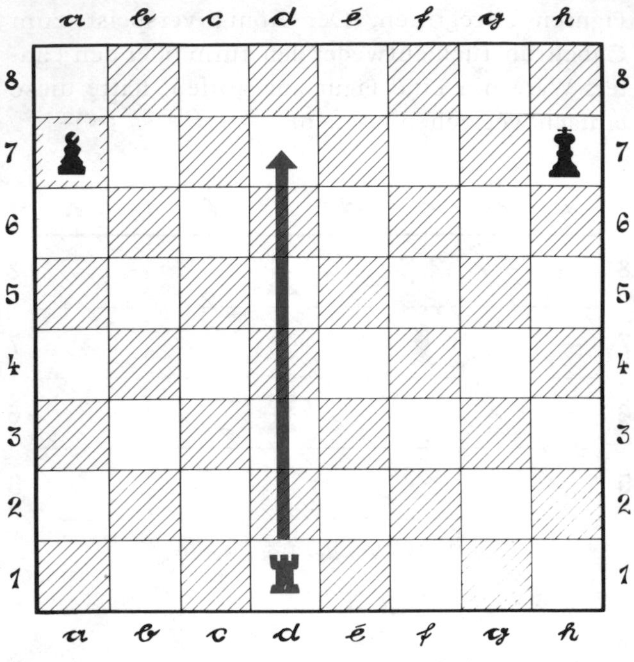

Bild 31: Vor der Turmgabel

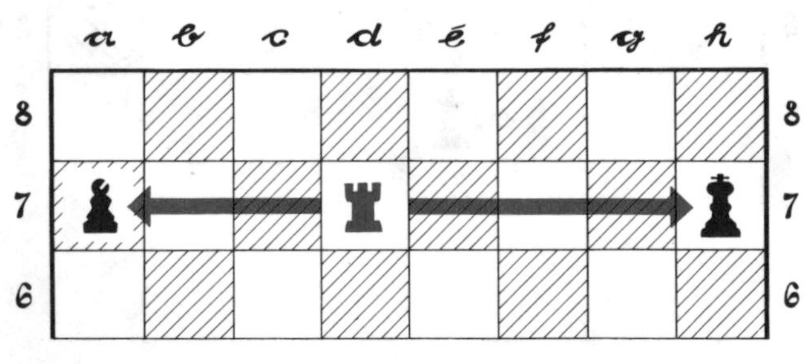

Bild 32: Eine Turmgabel

2. *Die Turmgabel*

Schau dir die Bilder 31 und 32 an! Mit Td1 – d7+ hat Weiß gleichzeitig den König und den Läufer angegriffen (Bild 32). Da der König aus dem Schach ziehen muß, verliert Schwarz den Läufer.

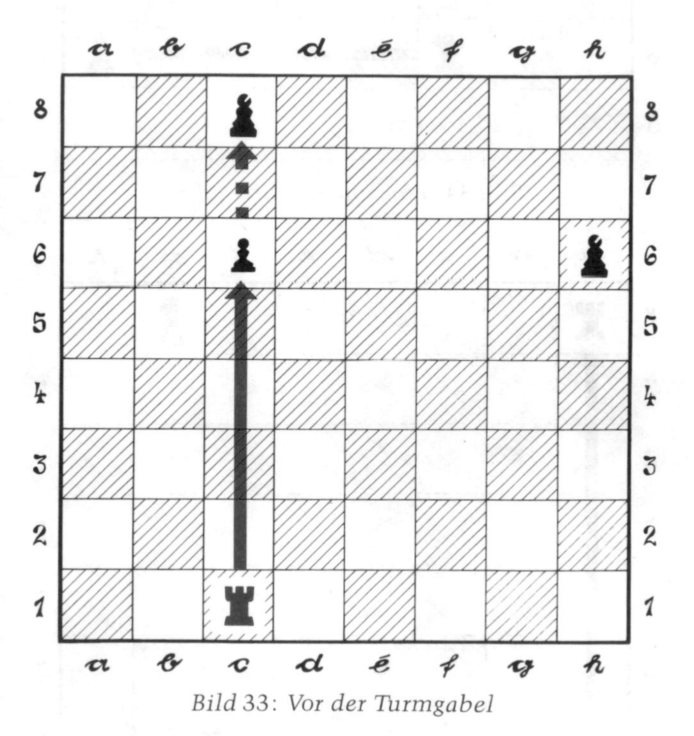

Bild 33: *Vor der Turmgabel*

Schau dir jetzt die Bilder 33 und 34 an! Weiß schlägt mit Tc1 × c6 den Bauern und gabelt dabei beide Läufer von Schwarz auf. Da die Läufer weder einander decken noch gleichzeitig flüchten können, verliert Schwarz einen von ihnen.

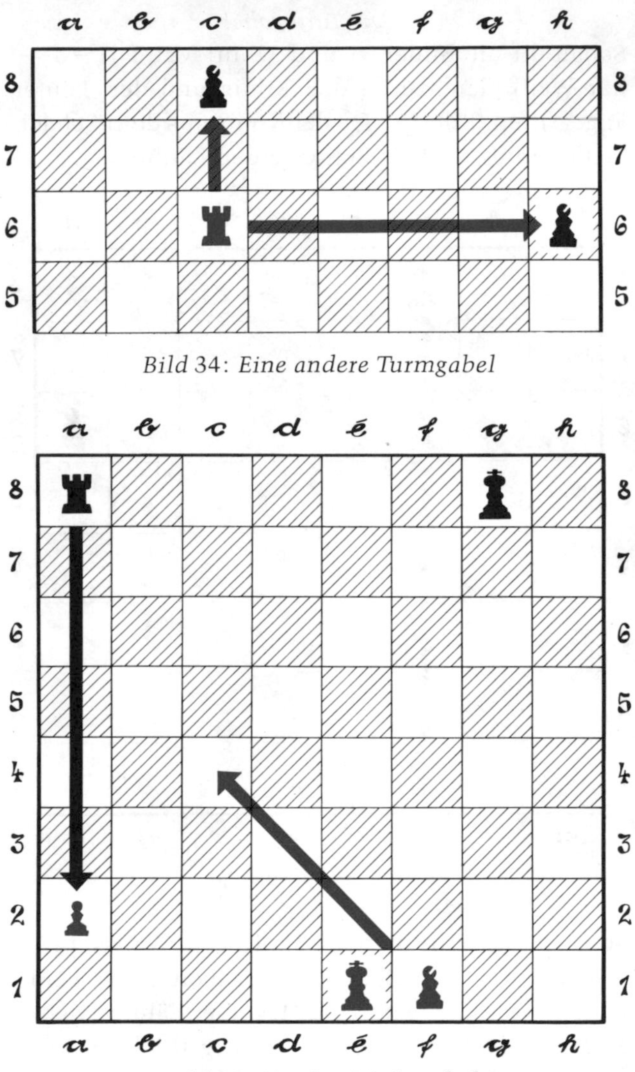

Bild 34: *Eine andere Turmgabel*

Bild 35: *Vor der Läufergabel*

3. Die Läufergabel

Vergleiche die Bilder 35 und 36!

Der Turm in Bild 36 hat bereits den Bauern geschnappt (1. ..... Ta8×a2). Er wird für seine Untat sofort bestraft: 2. Lf1–c4+. Schwarz büßt den Turm ein, weil der König das Schach abwenden muß.

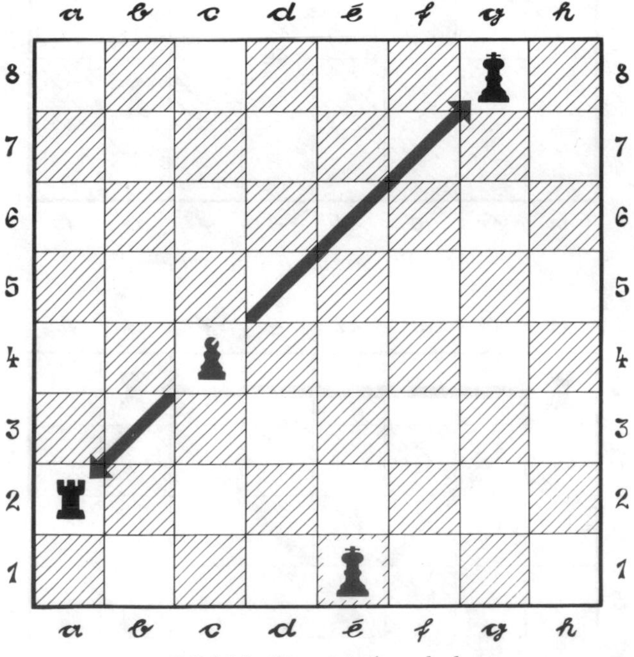

Bild 36: Eine Läufergabel

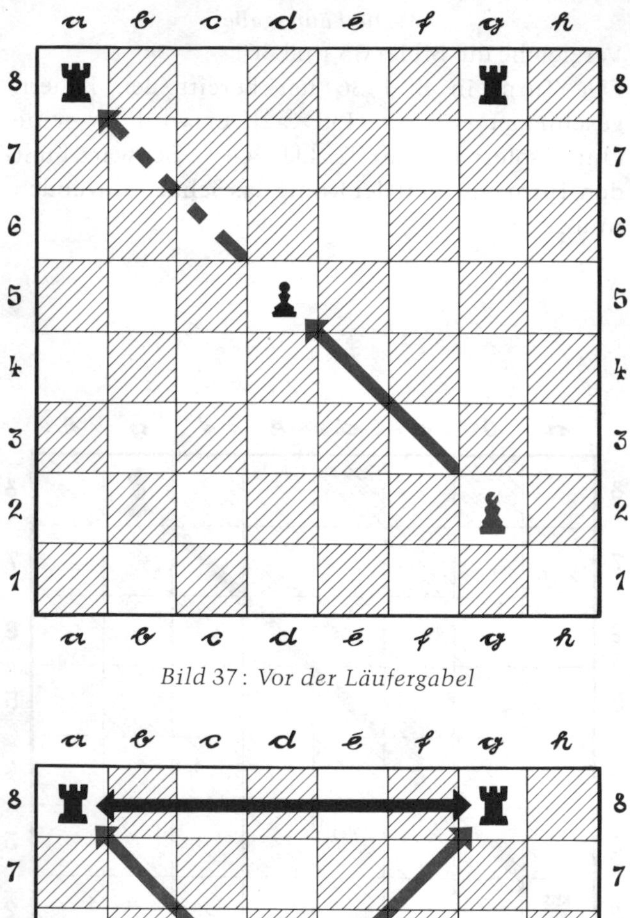

Bild 37: *Vor der Läufergabel*

Bild 38: *Eine andere Läufergabel*

In Bild 38 hat der Ld5 bereits den Bauern (Bild 37) verschlungen: Er greift das schwarze Turmpaar an. Zwar schützen die Türme einander gegenseitig, doch erbeutet Weiß nach dem Abtausch 2. Ld5×Ta8, Tg8×La8 den wertvolleren Turm gegen den schwächeren Läufer.

4. *Die Damengabel*

Die Dame kann in acht Richtungen ziehen und schlagen. Diese Wendigkeit läßt es zu, daß sie – oft unerwartet – zu mehreren Doppelangriffen gleichzeitig ansetzen kann.

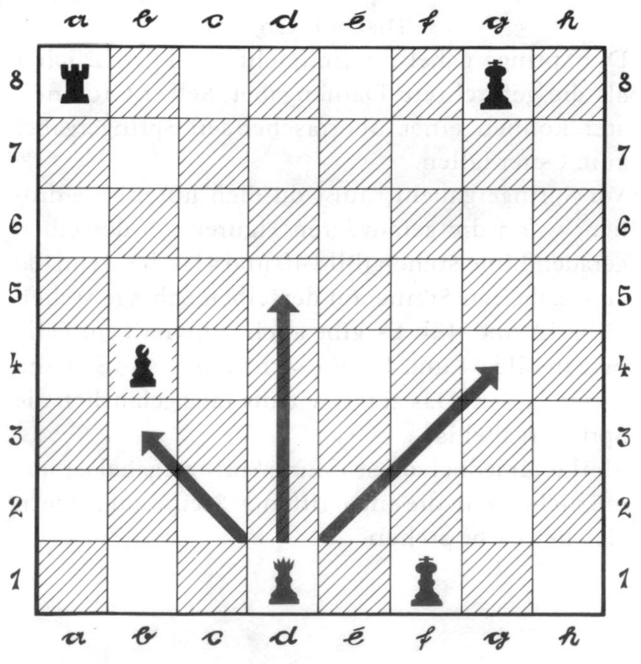

Bild 39: Drei Damengabeln mit furchtbaren Folgen

In Bild 39 kann die Königin drei schreckliche Doppelangriffe starten:

(a) Dd1 – d5+ (Doppelangriff gegen König und Turm)

(b) Dd1 – g4+ (Doppelangriff gegen König und Läufer)

(c) Dd1 – b3+ (Doppelangriff gegen König und Läufer)

In allen drei Fällen muß der König aus dem Schach gehen. Schwarz verliert entweder den Turm oder den Läufer.

5. *Die Springergabel*

Die Springergabel ist vielleicht noch gefährlicher als die gefürchtete Damengabel. Selbst Großmeister können einer überraschenden Springergabel zum Opfer fallen.

Vor Springergabeln mußt du dich hüten! Sie drohen, wenn die gefährdeten Figuren auf derselben geraden Linie stehen (Bild 40 und 41) oder wenn die aufgegabelten Steine auf derselben Schräge stehen (Bild 42 und 43). Es gibt auch schwierigere Fälle (wie in Bild 44 und 45), die sich nicht in ein Schema fassen lassen. Das zeigt, wie überaus gefährlich die Springergabel ist.

Merke dir jedoch dieses: Eine Springergabel ist nur möglich, wenn die angegriffenen Steine auf Feldern gleicher Farbe stehen.

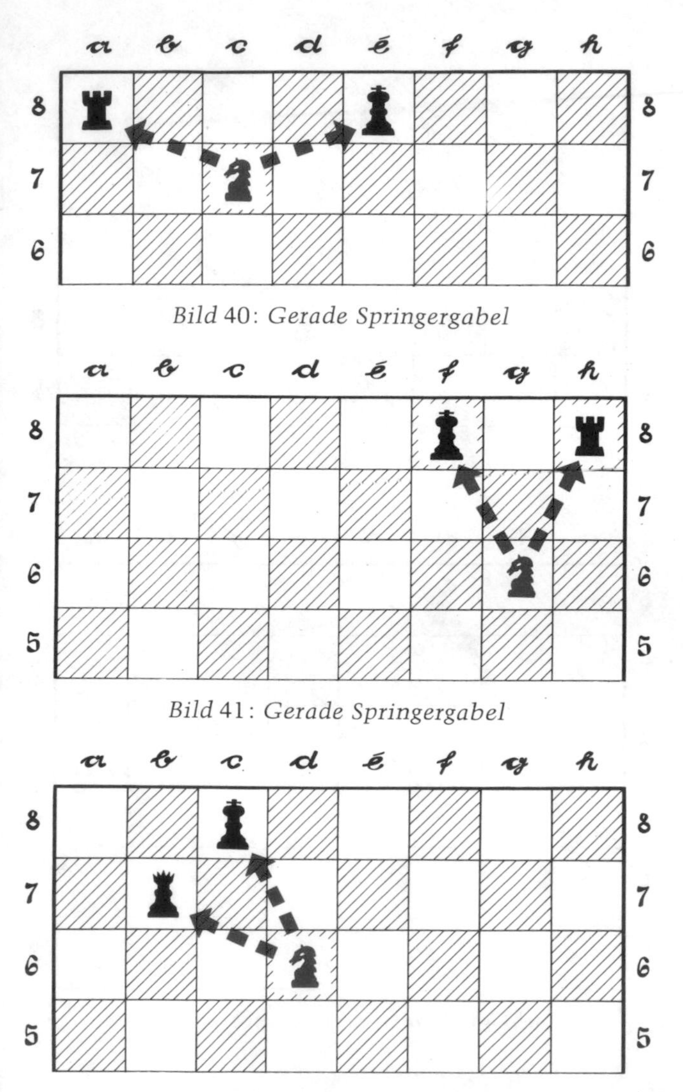

Bild 40: Gerade Springergabel

Bild 41: Gerade Springergabel

Bild 42: Schräge Springergabel

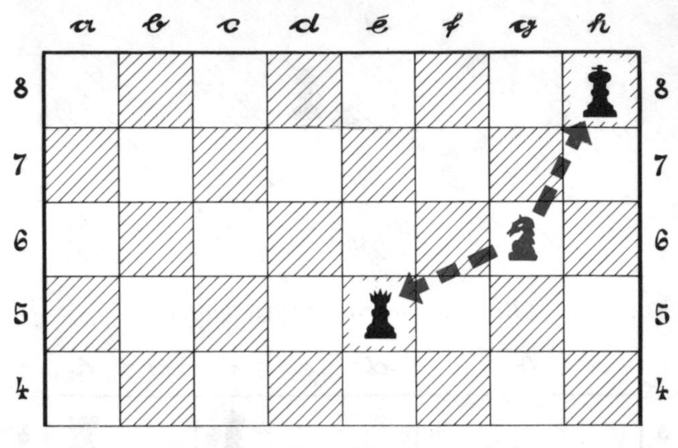

Bild 43: Schräge Springergabel

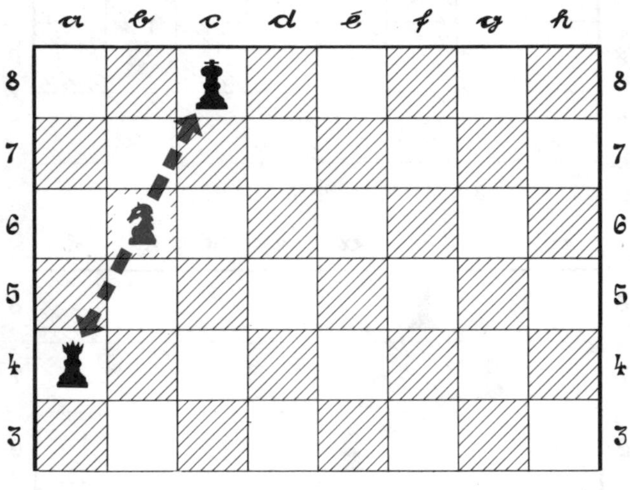

Bild 44: Eine andere Springergabel

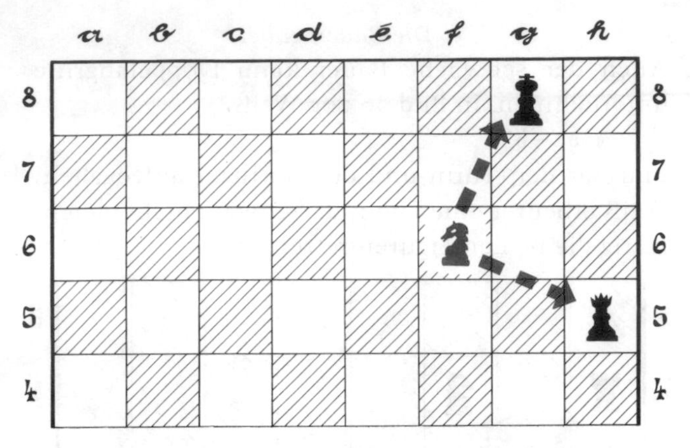

Bild 45: Noch eine andere Springergabel

Eine Springergabel: Familienschach. Der Springer greift die Familie, den König und die Dame, mit einem Zuge und zur gleichen Zeit an.
(Weiß: Sf6, Ké6; Schwarz: Kg8, Dh5)

6. *Die Bauerngabel*

Auch der schwache Bauer kann Doppelangriffe unternehmen. In Bild 46 zog Weiß

b2 – b3

und hat den Turm und den Springer aufgegabelt. Weiß erbeutet eine Figur, da Schwarz nicht gleichzeitig die beiden Figuren retten kann.

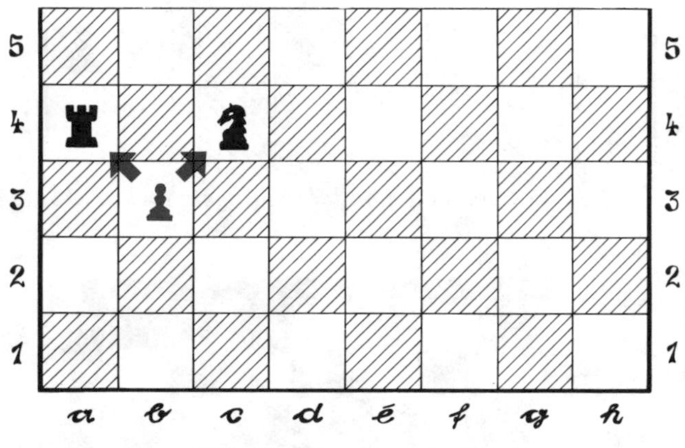

Bild 46: *Eine Bauerngabel*

In Bild 47 wäre g2 – g4+ wegen Dh5×g4 (oder Kf5×g4) Selbstmord des angreifenden Bauern. Stelle vor diesem Zug einen weißen Bauern auf h3! Nun ist

g2 – g4+

ein sehr starker Zug, weil der weiße Bauer auf h3 den Bauern auf g4 deckt. Ein ungeschützter Bauer darf nur den Turm oder den Springer angreifen, da diese ihn nicht schlagen können.

Ein Randbauer kann keinen Doppelangriff vornehmen, weil er nur in einer Richtung schlagen kann.

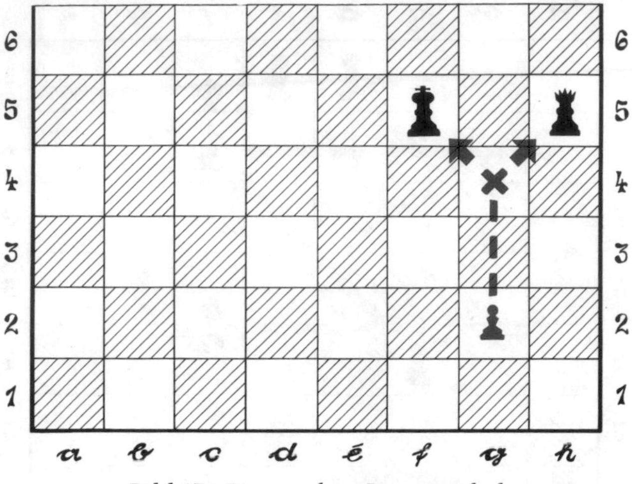

Bild 47 : Eine andere Bauerngabel

Nun wollen wir das bisher Erlernte in den beiden nachfolgenden Partien erproben. Setze die Züge wie angegeben auf deinem Schachbrett. Spiele auch eine eigene Partie!

Zum Nachspielen und Mitdenken

Erste Partie
Das Schäfermatt

Das Schäfermatt ist das bekannteste Matt (Bild 48). Diese Partie endet damit, daß die weiße Dame das Feld f7 erobert und den schwarzen König mattsetzt. Das Schäfermatt in Bild 48 ist nur mit den nötigsten Figuren bestückt, damit die Situation

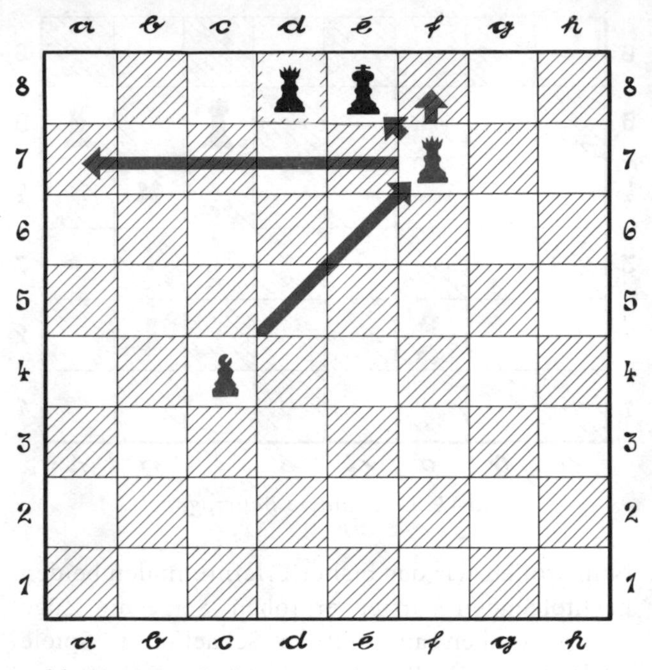

Bild 48: Das Schäfermatt – die eigene Dame hält das Fluchtfeld des schwarzen Königs besetzt.

ganz klar wird. Jetzt wollen wir die Partie einmal mit allen Steinen durchspielen (Bild 49).

Weiß:	Schwarz:
1. é2–é4	**1. é7–é5**
2. Lf1–c4	**2. Sb8–c6**
3. Dd1–f3	**3. .....**

Weiß belagert mit dem Läufer den schwachen

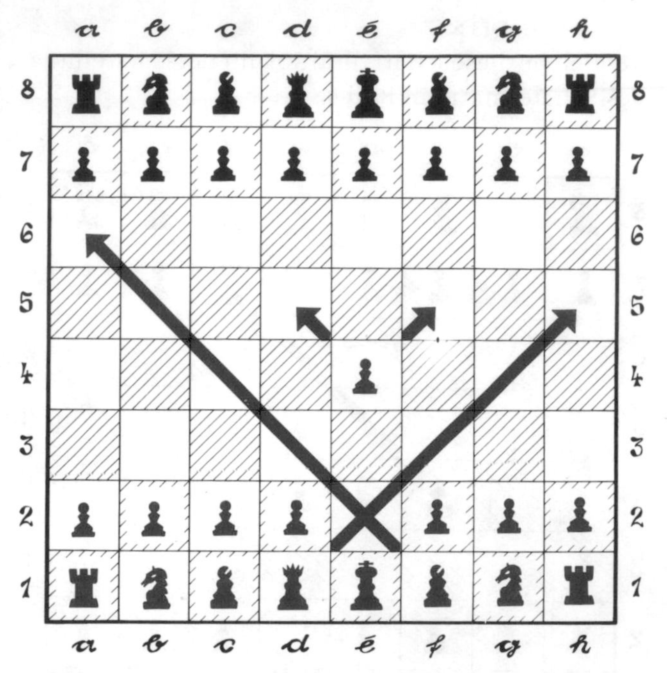

Bild 49: Der Zug é2 – é4 bringt Weiß zwei Vorteile. Der Bauernzug öffnet dem Läufer und der Dame die Bahn, der Bauer selbst bedroht die Felder d5 und f5. Die Pfeile zeigen nicht die Züge der Figuren, sondern die Schlagkraft von Dame, Läufer und Bauer an.

Punkt f7 – ein Feld, von dem aus der schwarze König sehr gefährdet ist – von c4 aus und jetzt auch noch mit der Dame von f3 aus.

3. ..... **3. Sc6 – d4**

Schwarz erkennt die drohende Gefahr nicht. Er tut nichts, um den bedrohten Punkt f7 zu schützen. Das Matt folgt auf dem Fuße:

4. Df3×f7#

Vergleiche dieses Matt (Bild 50) mit der Darstellung des Schäfermatts in Bild 48!

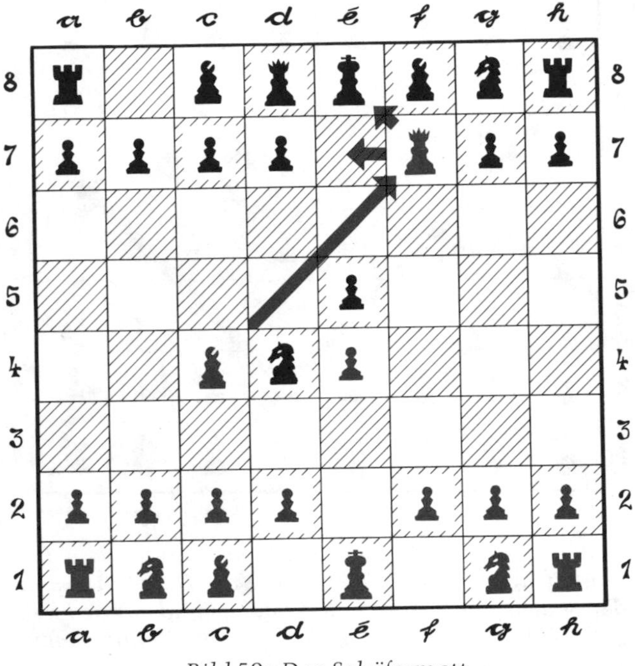

Bild 50: *Das Schäfermatt*

Spiele auch die Zweite Partie auf deinem Schachbrett nach!

Zweite Partie:
Die Beseitigung der Deckung

Weiß:	Schwarz:
1. é2–é4	**1. é7–é5**
2. Lf1–c4	**2. .....**

Der weiße Läufer greift den schwachen Punkt f7 an.

2.	**2. Lf8 – c5**

Der schwarze Läufer greift den schwachen Punkt f2 an.

3. Dd1 – f3	**3. .....**

Die weiße Königin greift ebenfalls f7 an.

3.	**3. Sg8 – h6**

Schwarz bemerkt die Mattdrohung und verteidigt den Bauern f7 mit dem Springer. Diese Deckung ist aber unzulänglich. (Eine ausreichende Deckung würden nur die Züge 3. ..... Sg8 – f6 oder 3. ..... Dd8 – f6 ergeben.)

4. d2 – d4	**4. .....**

siehe Bild 51

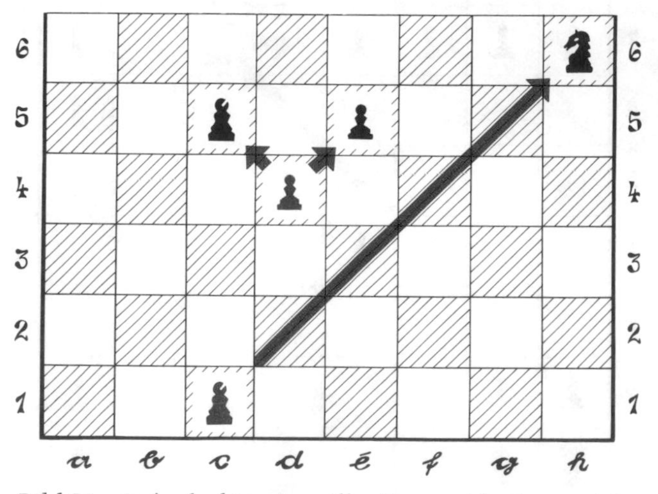

Bild 51: Aufgedeckter Angriff – Der weiße Bauer zieht von d2 auf d4 und gibt damit den Läuferangriff auf den Springer frei.

Weiß will seinen Damenbauern opfern, um für die Beseitigung des Springers h6 Zeit zu gewinnen.

4.	**4. Lc5×d4**

Ein zweifelhafter Zug! Die einzige Rettung wäre der kaltblütige Austausch der Läufer mit 4. ..... d7–d5 gewesen. f7 würde nur noch von einer Figur bedroht.

5. Lc1×Sh6	**5. g7×Lh6**
6. Df3×f7#	

siehe Bild 52

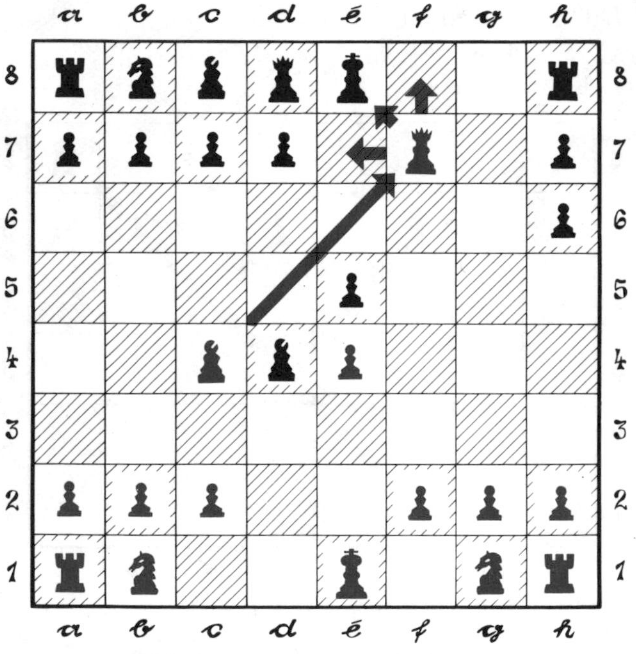

a b c d e f g h

8 7 6 5 4 3 2 1

Bild 52: Ein weiteres Schäfermatt

In dieser und in der vorherigen Partie war der schwache Punkt f7 zweimal von Weiß angegriffen, aber nur einmal gedeckt. Das ist die Ursache des plötzlichen Zusammenbruchs von Schwarz. Ein Stein soll von ebenso vielen Steinen geschützt sein, wie er angegriffen ist.
Vergleiche die Mattstellung in Bild 52 mit Bild 48!

Was wir über den König wissen sollten

Nachdem wir das Spiel und seine Regeln kennengelernt haben und auch schon zwei Partien gespielt haben, sollten wir uns noch einmal die Steine ansehen. Wir wissen, der König ist die wichtigste Figur. Um ihn dreht sich alles. Der Zweck des Kampfes ist es, den gegnerischen König gefangenzunehmen. Der, dem dies gelingt, hat gewonnen – auch dann, wenn der Gegner noch zweimal soviel Steine im Feld hat.

Der langsame König

Wie der König zieht, wissen wir bereits aus den Regeln: er darf von seinem Standort aus nach allen Richtungen ein Feld weiter gehen. Der König ist sehr langsam und schwerfällig. Er braucht z. B. sieben Züge, um von einem Brettrand zum andern zu gelangen (Bild 53). Das Eigentümliche des Königsmarsches ist, daß der Herrscher nicht schnurgerade gehen muß. Er kann sich ansehnliche Umwege erlauben und kommt doch mit derselben Zugzahl aus, die er für den direkten Weg benötigte.

2. *Aufgabe*

Spiele auf deinem Brett die in Bild 53 eingezeichneten Spaziergänge des weißen Königs nach!

Der König ist unschlagbar

Wir dürfen den König nicht schlagen, sondern können ihn nur mattsetzen. D. h. der König ist der

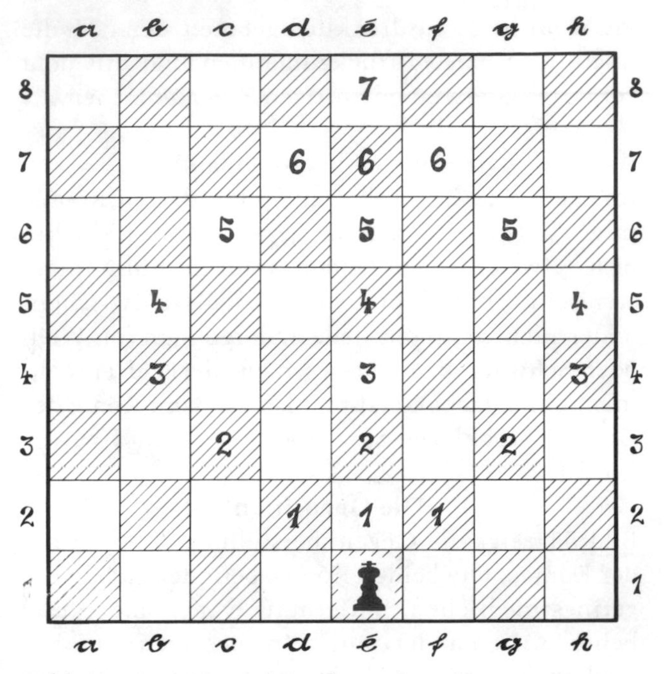

Bild 53: Der König braucht sieben Züge von einem Brettrand zum anderen.

einzige Schachstein, der nicht durch Schlagen vernichtet werden darf, sondern lediglich seiner Bewegungsfreiheit beraubt werden soll.
Ebenfalls ist es nicht gestattet, den eigenen König in eine Lage zu bringen, in der er geschlagen werden könnte. Ist das dennoch einmal – vielleicht aus Versehen – passiert, so wird dieser Zug nicht gewertet, er ist ungültig. In diesem Falle ist die Regel »berührt – geführt« außer Kraft gesetzt,

vielmehr ist es ausdrücklich geboten, den oder die ungültigen Züge zurückzunehmen und mit dem geführten Stein einen gültigen Zug zu machen.

Die Könige hindern einander

Im Laufe eines Spiels kommt es vor, daß die Könige in große Nähe zueinander geraten. Dabei beachte bitte: Zwischen den beiden Königen muß mindestens ein Feld frei sein. Sie dürfen diese Zwischenfelder nicht betreten. Jede andere Figur von Weiß oder Schwarz kann dieses neutrale Feld einnehmen, ohne dabei Gefahr zu laufen, vom König des Gegners geschlagen zu werden.

Die Opposition

Bild 54 zeigt die Gegenüberstellung (Opposition) der Könige. Die beiden Könige befinden sich in der geringstmöglichen Entfernung voneinander und behindern einander nun beim Besetzen von drei Feldern. So groß ist die neutrale Zone geworden, daß ihnen lediglich je fünf Felder geblieben sind, wohin sie sich beim nächsten Zug begeben können.
Die Opposition ist die Waffe der Könige. Wer die Opposition hält und die Gegenseite zum Zug zwingt, kann verhindern, daß der gegnerische König in sein Lager eindringt. Außerdem kann er selber in des Gegners Lager eindringen.
Die Opposition besitzt der König, der zuletzt gezogen hat, also derjenige, der nicht am Zuge ist. Wer am Zuge ist, muß der Opposition weichen.

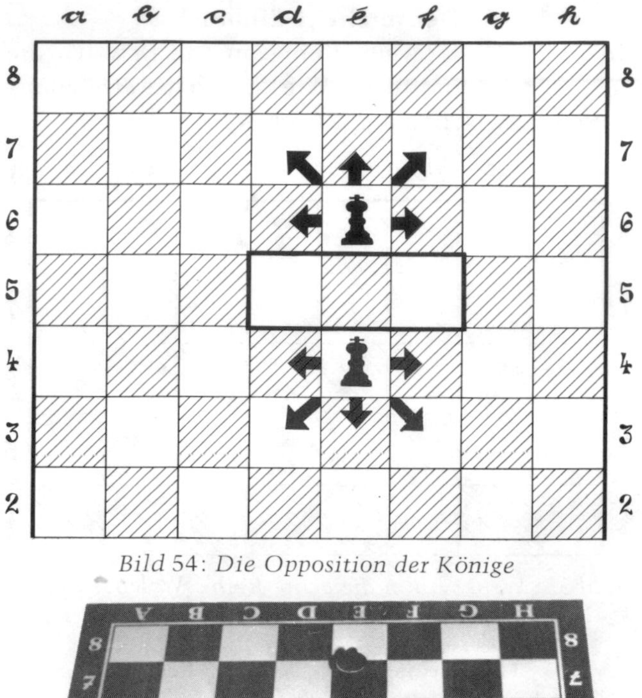

Bild 54: *Die Opposition der Könige*

Die Opposition der Könige
(Weiß: Ké4, Tc3; Schwarz: Ké6)

Der vereitelte Einbruch

In Bild 55 ist der weiße König am Zug. Er will in die achte Reihe eindringen. Wie kann er das erreichen? Er kann zwischen drei Zügen wählen.

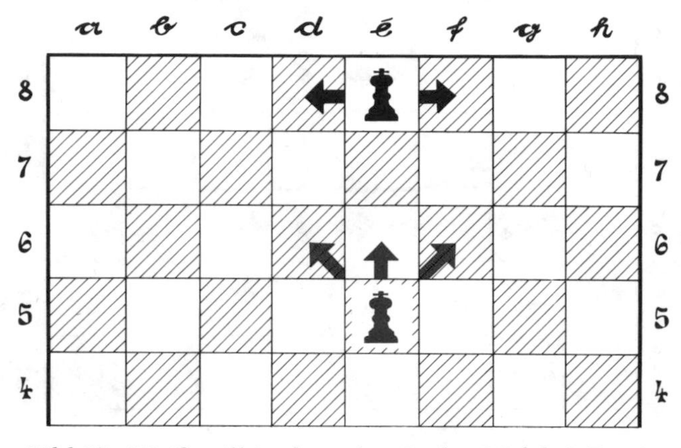

Bild 55: Weiß will in die achte Reihe. Welcher Zug ist richtig?

1. Ké5 – d6 **1. Ké8 – d8**

Der schwarze König geht in die Opposition und verhindert mit ständigen Gegenüberstellungen, daß der weiße König in die achte Reihe einbricht (siehe Bild 56).

2. Kd6 – c6 **2. Kd8 – c8**
3. Kc6 – d6 **3. Kc8 – d8**

Es ist nichts zu machen. Weiß versucht noch eine kleine List:

4. Kd6 – é5 **4. Kd8 – é7**

Dieser Versuch ist gescheitert. Es dürfte auch klar sein, daß Weiß (in Bild 55) mit 1. Ké5 – f6, Ké8 – f8 nichts erreichen kann.

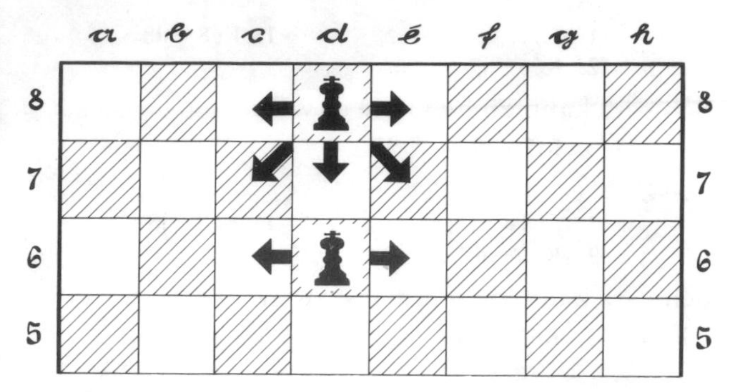

Bild 56: Schwarz hat die Opposition, da er nicht am Zuge ist.

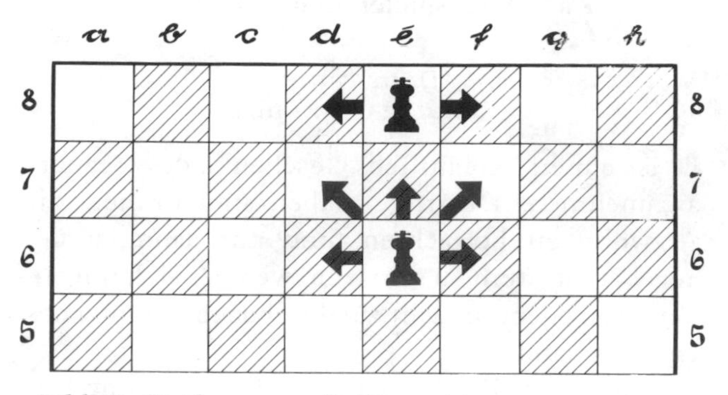

Bild 57: Weiß gewann die Opposition mit 1. Ké5 – é6.

Der einzig richtige Zug ist:

1. Ké5 – é6

siehe Bild 57

Der schwarze König ist am Zuge. Er muß entweder nach links oder nach rechts ausweichen und dem weißen König den Zugang zur achten Reihe freigeben. Schwarz muß also die Opposition aufgeben.

1.	**1. Ké8 – d8**
2. Ké6 – f7	

Schwarz kann ziehen, wie er will.

3. Kf7 – f8

Oder:

1.	**1. Ké8 – f8**
2. Ké6 – d7	

Schwarz kann ziehen, wie er will.

3. Kd7 – d8

Zum Nachspielen und Mitdenken

Dritte Partie
Raubzug des Königs

Es ist äußerst gefährlich, Geschenke des Gegners anzunehmen. Derartige Gaben sind immer mit Argwohn zu betrachten, und nur dann ist der angebotene Stein zu schlagen, wenn es sich um ein Versehen oder ein nicht gut durchdachtes Opfer des Gegners handelt.

Auf keinen Fall dürfen wir in der Eröffnung mit dem König zu weit in das freie Gelände hinaus, sollte der Gewinn an gegnerischen Steinen auch noch so verlockend sein. Je weiter der König sich von seinen Getreuen entfernt, um so verwundbarer ist er.

Der Schachspieler Herbert Spencer spielte 1850 in London folgende Partie, die unser Beispiel gut verdeutlicht. Spiele die Partie auf deinem Schachbrett nach.

Weiß: Herbert Spencer	Schwarz: N. N.

London um 1850

1. é2 – é4	**1. é7 – é5**
2. f2 – f4	**2. é5 × f4**
3. Sg1 – f3	**3. .....**

Durchaus notwendig, um den gefährlichen Zug der schwarzen Dame auf den weißen König (Dd8 – h4 +) zu verhindern.

3.	**3. g7 – g5**

Schwarz plant g5 – g4, um den Springer zu vertreiben und damit doch das begehrte Damenschach auf h4 auszuführen.

4. Lf1 – c4	**4. g5 – g4**
5. Lc4 × f7 +	**5. .....**

Ein verwegenes Läuferopfer. Der schwarze König soll aus seinem Versteck herausgelockt werden.

5.	**5. Ké8 × Lf7**
6. Sf3 – é5 +	**6. Kf7 – é6**

Die Annahme des Läuferopfers war berechtigt. Aber statt 6. ..... Kf7 – é6 hätte der schwarze König auf seinen Thron zurückkehren sollen. Stattdessen unternimmt er höchstpersönlich einen lebensgefährlichen Raubzug.

7. Dd1 × g4 +	**7. .....**

Weiß will auch den Springer opfern, um den schwarzen König noch weiter zu locken.

7.	**7. Ké6 × Sé5**
8. d2 – d4 +	**8. Ké5 × d4**
9. b2 – b4	**9. .....**

Weiß will auch diesen Bauern opfern, um später mit dem Läufer auf b2 in den Kampf einzugreifen.

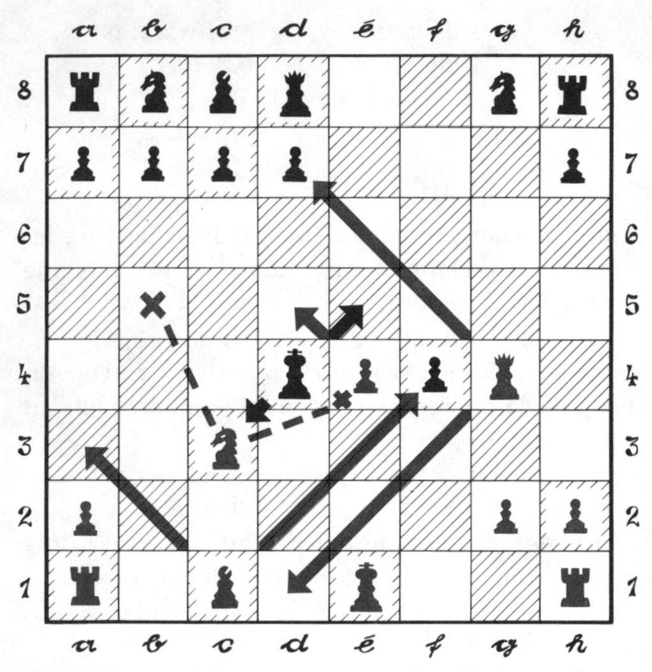

Bild 58: Der schwarze König im feindlichen Gebiet

9.	9. Lf8×b4+
10. c2–c3+	10. Lb4×c3+
11. Sb1×Lc3	11. .....

siehe Bild 58

Schon gibt es für den schwarzen König keine Rückkehr mehr. Die folgende Möglichkeit würde für Schwarz zu einem Matt führen:
11. ..... Kd4–é5; 12. Lc1×f4+, Ké5–f6; 13. Sc3–d5+, Kf6–f7; 14. Dg4–h5+, Kf7–é6; 15. Dh5–f5#.
Bei Spencer geht es folgendermaßen weiter:

11.	**11. Kd4 × Sc3**
12. Lc1 – b2 +	**12. Kc3 × Lb2**
13. Dg4 – é2 +	**13. Kb2 × Ta1**

Das war das Henkersmahl.

14. 0–0#

oder: 14. Ké1 – f2(#)

Was wir über den Turm wissen sollten

Züge und Richtungen

Wie der Turm ziehen darf, wissen wir bereits aus den Regeln: in gerader Richtung. Er darf auf demselben Wege vorwärts oder rückwärts und in derselben Reihe links oder rechts ziehen. Es steht dem Turm frei, nur auf das nächste oder übernächste Feld oder gar bis zum Brettrand zu gehen, wenn ihn keine Figur daran hindert. Gleichgültig auf welchem Feld er sich befindet, immer hat der Turm 14 mögliche Züge. In Bild 59 kannst du das nachprüfen. Die drei dort eingezeichneten Türme unterscheiden sich allerdings in einem wichtigen Punkt. Der Turm in der Mitte hat vier Richtungen zur Verfügung, der Turm am Rand drei und der Turm in der Ecke nur zwei.

Die Beweglichkeit des Turms

Der gewaltige Turm, der jedes beliebige Feld spätestens im zweiten Zuge erreichen kann, ist zu Beginn der Partie eingeschlossen. Bauer und Springer der eigenen Farbe hindern ihn in der Bewegung (Bild 60).

Aber auch mitten im Brett ist seine Bewegungsfreiheit durch eigene und gegnerische Steine meist stark eingeschränkt. In Bild 61 kann der weiße Turm in zwei Richtungen nicht alle Felder benutzen. In der einen Richtung versperrt ein schwarzer Läufer den f-Weg. Weiß kann den Läufer schlagen und im nächsten Zug weiterziehen. Den eigenen

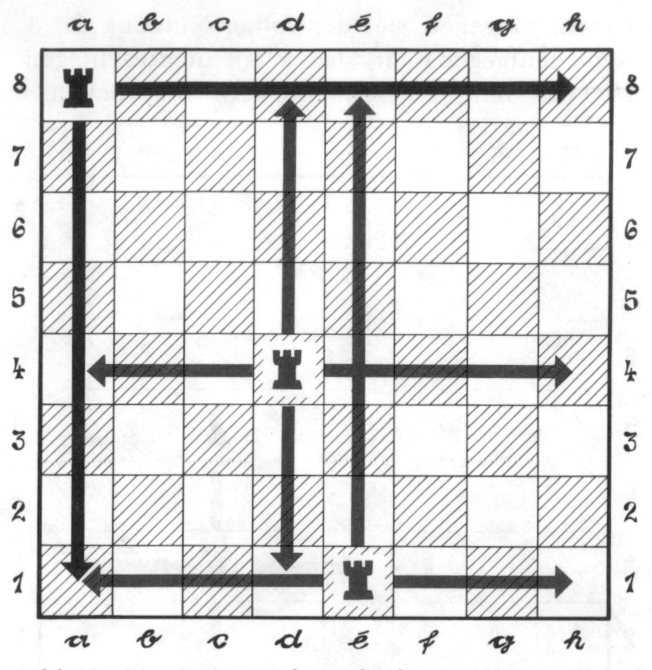

Bild 59: Der Turm in der Ecke besitzt die geringste Auswahl an Richtungen.

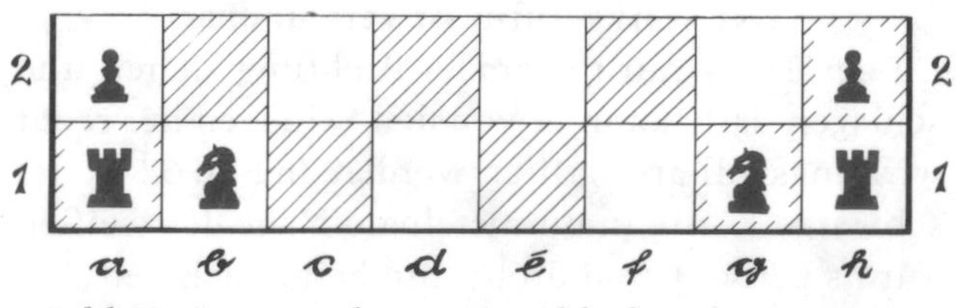

Bild 60: Bauer und Springer schließen den Turm ein.

Bauern hingegen, der der vollen Nutzung der 3. Reihe entgegensteht, darf Weiß nicht schlagen. Hier hilft nur, den eigenen Bauern vorzurücken.

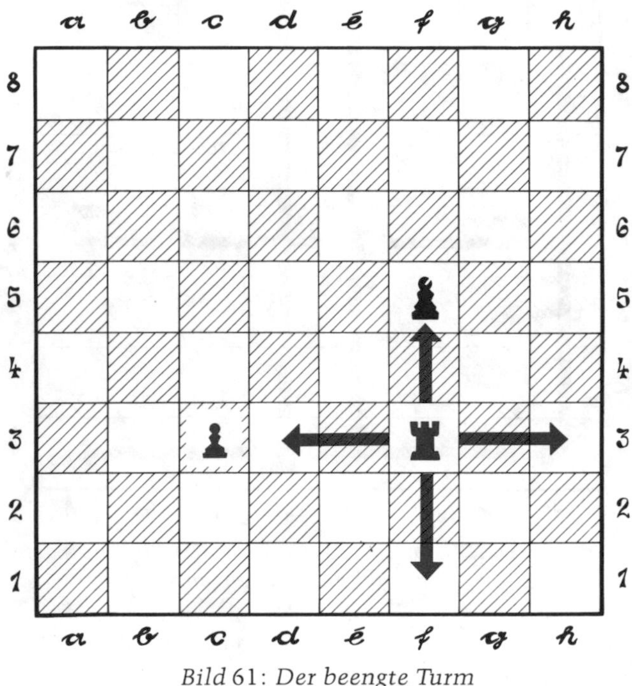

Bild 61: *Der beengte Turm*

Der starke Turm ist verwundbar

Da der Turm nur in gerader Richtung ziehen und schlagen darf, kann er von den Schrägen her recht wirkungsvoll angegriffen werden. In Bild 62 ist der schwarze König in unmittelbare Nähe des weißen Turms gerückt und droht, ihn beim nächsten Zug zu schlagen.

Ein Angriff wird abgewehrt

Freilich wird Weiß nicht untätig zusehen, wie Schwarz seinen kostbaren Turm verspeist. Er wird

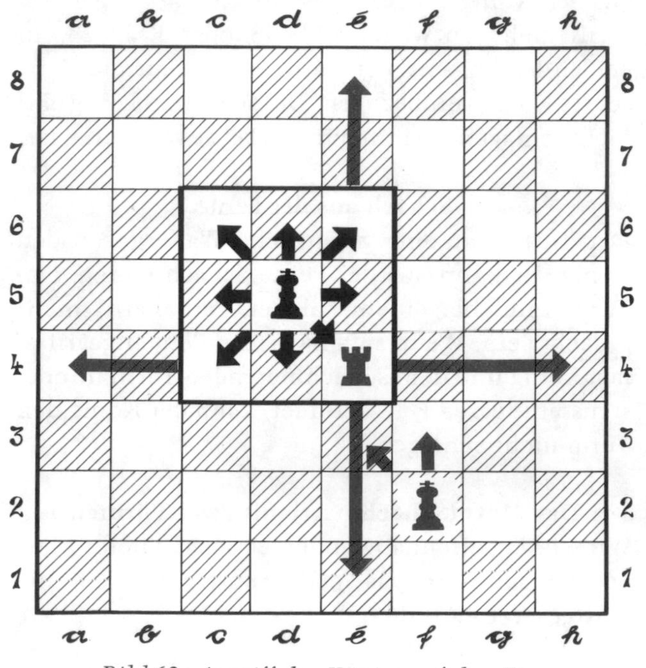

Bild 62: Angriff des Königs auf den Turm

mit einem Gegenzug den Turm retten. Diesen Gegenzug nennen wir Verteidigung. Zwei Möglichkeiten bieten sich an:

Der Wegzug (die Flucht)

Die erste Möglichkeit: der angegriffene Turm flüchtet – er zieht weg. Er muß den Schlagbereich des feindlichen Königs verlassen.

Die Deckung

Die zweite Möglichkeit: der Turm bleibt trotz des Angriffs auf dem Feld é4 stehen und wird von dem eigenen König gedeckt (geschützt).
Weiß zieht entweder Kf2–f3 oder Kf2–é3. In beiden Fällen wird der Turm in die neutrale Zone seines Königs einbezogen. Der schwarze König darf nicht schlagen, da ihm nun das Feld é4 verboten ist.

Schach aus der Ferne

Der Turm hat eine gefährliche Waffe gegen den König: Er kann aus der Ferne Schach bieten. Der Turm muß bei einem solchen Fernangriff nicht gedeckt sein. Wenn sich zwischen dem angegriffenen König und dem schachbietenden Turm mindestens ein leeres Feld befindet, kann der König den Turm nicht schlagen.

Das Matt (Schachmatt) mit zwei Türmen

Wir wissen, ein unabwendbares Schach heißt Matt oder Schachmatt. Das Spiel ist aus, wenn der König mattgesetzt ist (Bild 63).

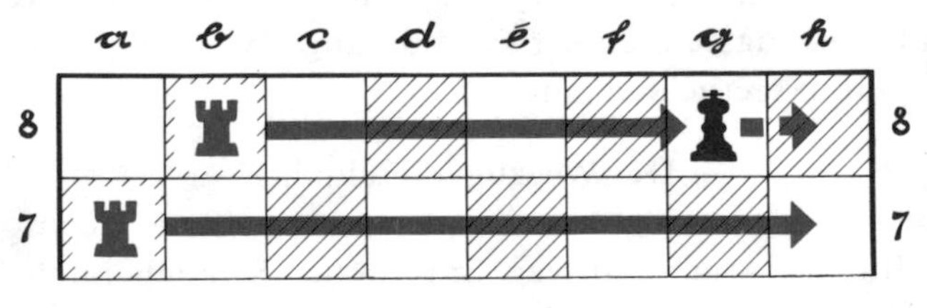

Bild 63: Das Matt mit dem Turmpaar

Das Matt mit dem Turmpaar
(Weiß: Ta7, Tb8, Ké5; Schwarz: Kg8)

Weiß hat gewonnen, weil der schwarze König den Angriff beider Türme auf keine Art abwehren konnte:

(1) Der König kann nicht aus dem Schach wegziehen.

(2) Der schachbietende Stein steht zu weit entfernt, als daß ihn der König schlagen könnte.

(3) Außer dem König ist kein anderer Stein vorhanden, mit dem Schwarz das Schachmatt abdekken könnte.

3. *Aufgabe*

In Bild 64 bietet der weiße Turm Schach.
Wieviele Abwehrmöglichkeiten hat der schwarze König?
Welche Fluchtfelder kann er benutzen?

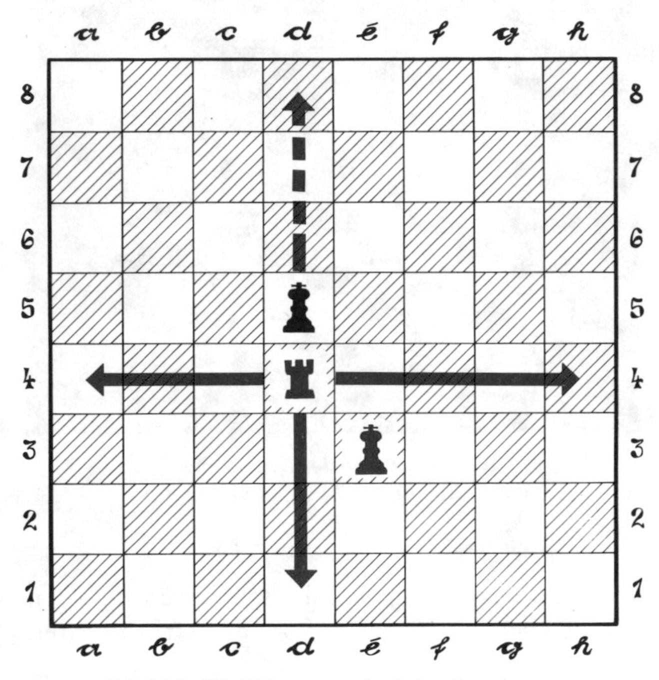

Bild 64: Weiß hat gerade Schach geboten.

Zum Nachspielen und Mitdenken

Vierte Partie
Bauernjagd mit Dame

Auch die Dame kann gefangen werden, wenn sie z. B. eine Jagd auf Bauern veranstaltet und zu tief in das Lager des Gegners eindringt. Folgendes Spiel beweist dies:

Weiß: Charles Mahé de la Bourdonnais	Schwarz: N. N.

Paris 1836

1. é2–é4	**1. é7–é5**
2. f2–f4	**2. Lf8–c5**

Schwarz will Weiß eine spätere Rochade erschweren.

3. Sb1–c3	**3. Lc5×Sg1**

Schwarz verdirbt Weiß die kurze Rochade und tauscht seinen Läufer gegen den weißen Springer. Der Weg zum Bauernraub ist frei.

4. Th1×Lg1	**4. é5×f4**
5. d2–d4	**5. .....**

Weiß lädt die schwarze Dame zu einer schmackhaften Bauernspeise ein.

5.	**5. Dd8–h4+**

Das war verlockend, aber es wäre für die Dame besser gewesen, auf é7 zurückzubleiben.

6. g2–g3	**6. f4×g3**
7. Tg1×g3	**7. .....**

Das ist kräftiger als 7. h2×g3, Dh4–é7. Weiß opfert den zweiten Bauern.

7.	**7. Dh4×h2**

Diese Bauernfresserei kostet die schwarze Königin das Leben.

8. Dd1–f3	**8. .....**

siehe Bild 65

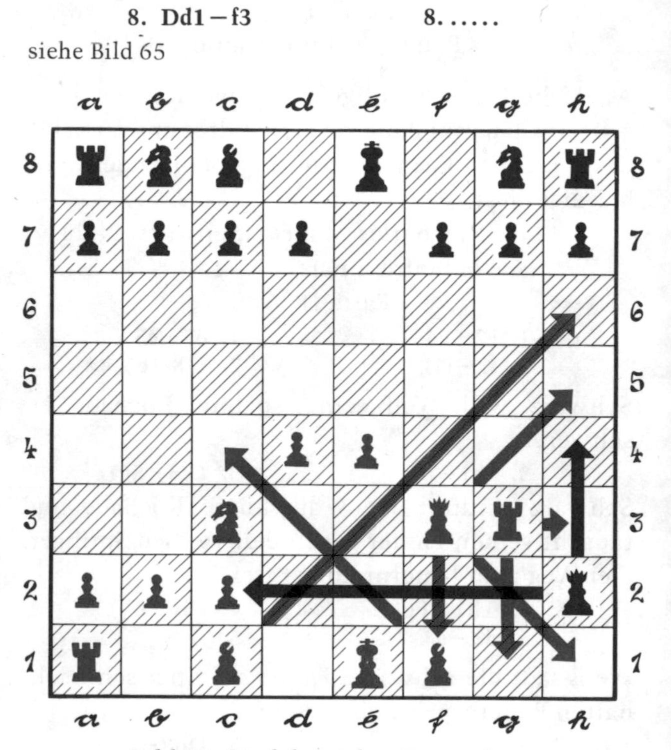

Bild 65: Ein lehrreicher Damenfang

Für die schwarze Dame gibt es nur noch drei Felder, auf denen sie nicht sofort geschlagen wird.

8.	**8. Dh2×c2**
9. Tg3–g2	**9. .....**

Der Turm sperrt die Dame endgültig ein. Sie ist verloren. Schwarz gibt auf.

Was wir über den Läufer wissen sollten

Die Bewegung des Läufers

Der Läufer zieht auf den Schrägen. Lies darüber noch einmal in den Regeln nach und sieh dir Bild 9 an. Türme und Könige dürfen beliebig zwischen weißen und schwarzen Feldern wählen. Nicht so der Läufer. Er kann nicht von einem schwarzen auf ein weißes Feld wechseln. Deshalb besitzt jede Partei einen »weißfeldrigen« und einen »schwarzfeldrigen« Läufer.

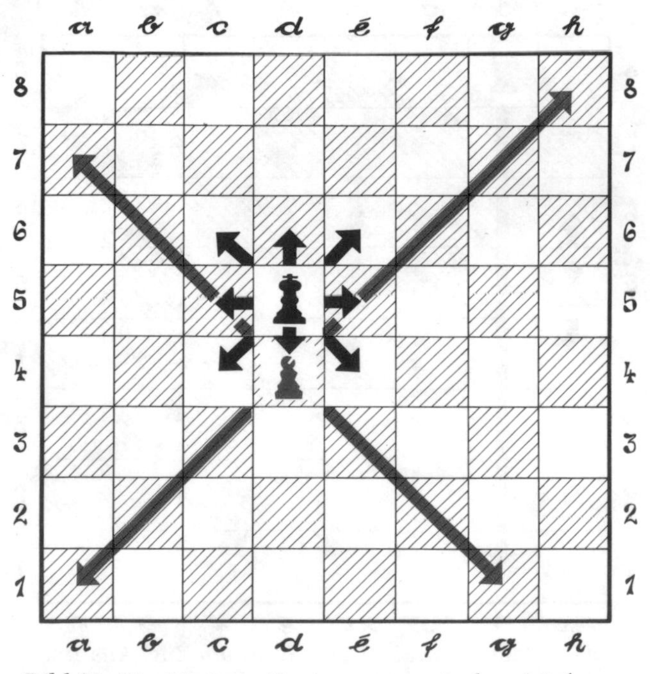

Bild 66: Ein König greift einen gegnerischen Läufer an.

Der schnelle Läufer ist verwundbar

Der Läufer kann jedes Feld seiner Farbe spätestens im zweiten Zuge besetzen. Da der schnelle Läufer nur schräg ziehen und schlagen darf, ist er von den Wegen und Reihen, den Geraden her z. B. durch den König angreifbar (Bild 66). Der König könnte in diesem Bild auch den Läufer schlagen.

Wie du mit Läufer und Turm mattsetzen kannst

Turm und König können den einsamen König des Gegners mattsetzen. König und Läufer allein können dies nicht. Wir nehmen deshalb einen Turm zu

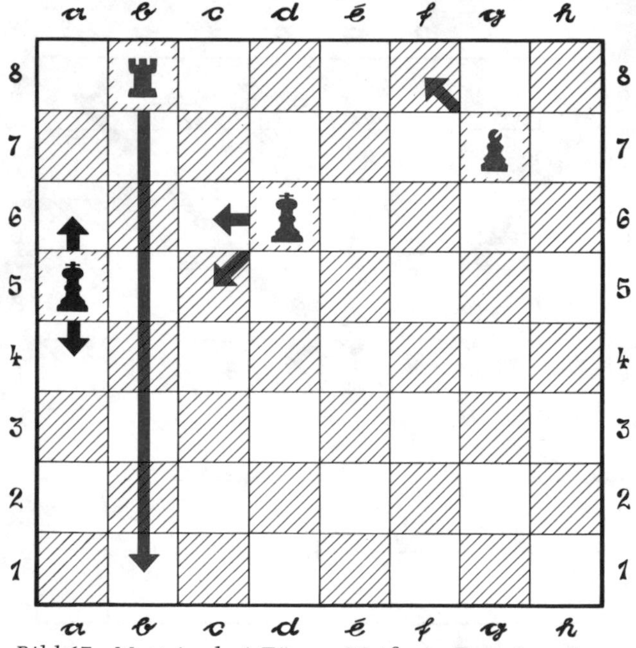

Bild 67: Matt in drei Zügen, Weiß am Zug. Aus einem Problem (einer Schachaufgabe) von Oskar Nemo (1935).

Hilfe. Stelle die Figuren auf dein Brett wie in Bild 67 angegeben.

1. Kd6 – c6	**1. Ka5 – a4**

Nach 1. ..... Ka5 – a6 würde 2. Tb8 – a8# folgen.

2. Lg7 – f8	**2. .....**

Der Läufer versperrt dem König das Feld a3. Der König muß zurück.

2.	**2. Ka4 – a5**
3. Tb8 – a8#	

4. *Aufgabe*

Bild 68: Matt in zwei Zügen (W. J. Baird, 1924), Weiß am Zug. Wink zur Lösung: Du sollst durch

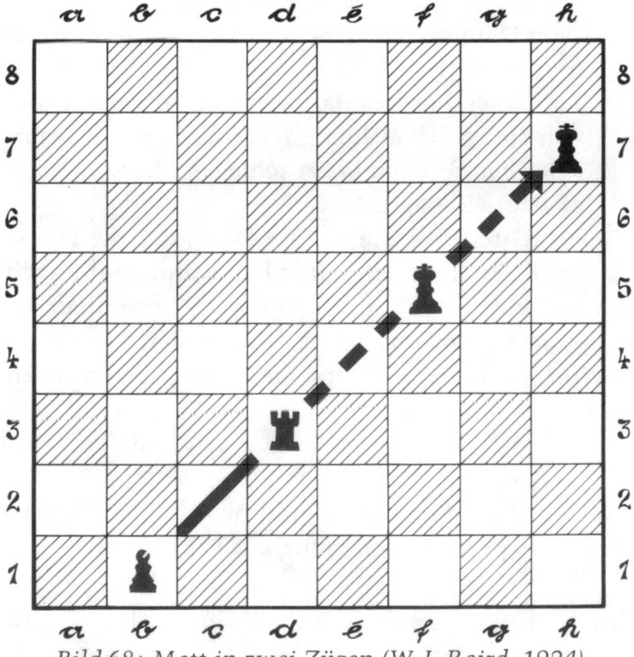

Bild 68: Matt in zwei Zügen (W. J. Baird, 1924).

einen Königszug und einen Turmzug die Läuferschräge b1 – h7 freilegen.

Zum Nachspielen und Mitdenken

Fünfte Partie

Ein verstecktes Matt

Weiß: N. N. Schwarz: B. Ratner

1951

1. d2 – d4	**1. .....**

Dieser Spielanfang hat zwei Vorteile:

(1) Dem Damenläufer und der Dame wird die Bahn freigemacht,

(2) der Bauer besetzt das wichtige Mittelfeld d4, von dort greift er die Felder é5 und c5 an (er kann jeden feindlichen Stein schlagen, der sich nach é5 oder c5 wagt).

Der Nachteil des Zuges d2 – d4 ist, daß die Dame nur zwei Zugmöglichkeiten hat, während ihr nach é2 – é4 vier Felder zugänglich sind. Vorteilhaft ist dagegen wiederum, daß die Dame den Bauern d4 weiter schützt, während der Königsbauer nach 1. é2 – é4 ungedeckt ist.

1.	**1. d7 – d5**
2. c2 – c4	**2. Sb8 – c6**

Der Springer bedroht d4 und bereitet den Gegenstoß é7 – é5 und auch vielleicht Lc8 – g4 vor.

3. Sb1 – c3	**3. .....**

Weiß droht, durch 4. c4×d5 einen Bauern zu gewinnen.

3.	3. Sg8–f6
4. Lc1–g5	4. Sf6–é4
5. Lg5–h4	5. g7–g5

Der kühne Bauer kann sich diesen dreisten Angriff erlauben, weil ihn ja der vorgeprellte Springer é4 deckt.

Ein weiterer Vorteil des originellen Zuges ist, daß dem Königsläufer das Feld g7 freigemacht wurde.

6. Lh4–g3	6. Lf8–g7

Der Läufer kann auch an der Flanke in den Kampf geworfen werden. Nun bedroht er den weißen

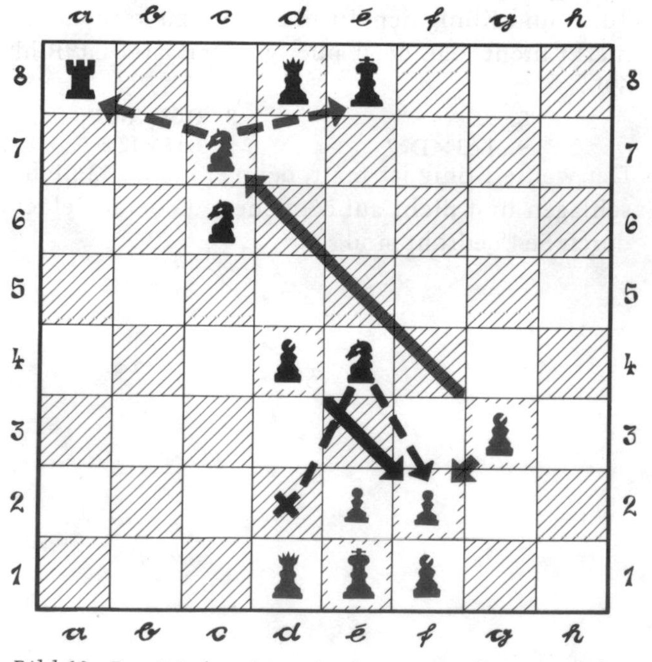

Bild 69: Der Läufer g3 ist überlastet. Er allein muß den Sc7 und das Matt auf f2 decken.

Damenbauern d4, der ja auch vom Springer c6 angegriffen wird.

7. Sc3×d5	**7. .....**

Weiß hofft auf eine kleine Kombination: Der Bauer c7 ist nun zweimal angegriffen (von Sd5 und Lg3), aber nur einmal (von der Dame) gedeckt.
Weiß hätte aber besser vorerst mit 7. é2–é3 den Bauern d4 decken sollen.

7.	**7. Lg7×d4**
8. Sd5xc7+	**8. .....**

Weiß glaubt, mit diesem zweifachen Angriff auf Turm und König den Turm erobern zu können. Er merkt nicht, daß der Läufer g3 überlastet ist (Bild 69).

8.	**8. Dd8×Sc7**
9. Lg3×Dc7	**9. Ld4×f2#**

Der weiße König ist matt, denn er kann Lf2 nicht schlagen und nicht auf d2 ziehen, da beide Felder durch Sé4 bedroht sind.

Was wir über die Dame wissen sollten

Wie die Dame zieht

Die Dame oder Königin vereinigt die Fähigkeiten und Wirkungen von Turm und Läufer in einer Figur. So kommt es, daß sie aus der Mitte des Bretts heraus beinahe die Hälfte der Felder beherrscht (Bild 70).

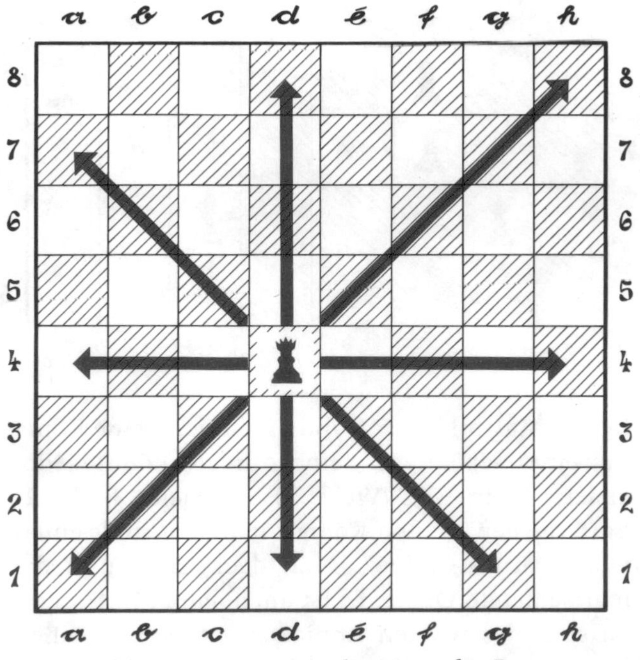

Bild 70: Die Dame in der Mitte des Bretts

Das Damenmatt
Die Dame setzt den König matt

Trotz ihrer Riesenkraft kann die Dame auf dem leeren Brett allein nicht mattsetzen. Sie braucht immer eine Hilfsfigur – sei es König, Turm oder Läufer.

Zwei Damenmatts kommen besonders häufig vor:

(1) das Keulenmatt (Bild 71) – der mattgesetzte König steht am Brettrand,

(2) das Schrägmatt (Bild 72) – der mattgesetzte König ist in die Ecke gedrängt.

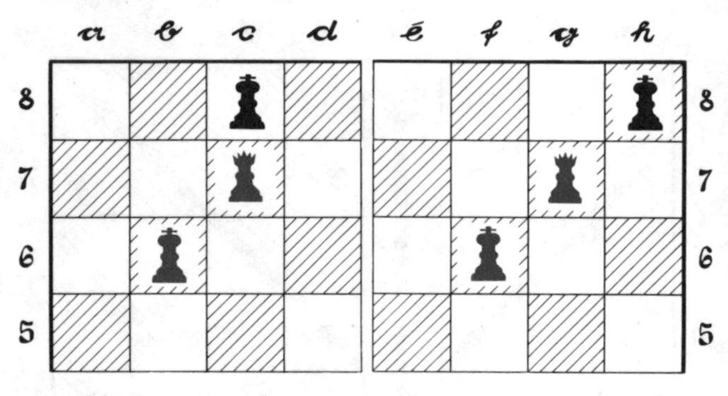

Bild 71: *Ein Keulenmatt* *Bild* 72: *Ein Schrägmatt*

In den Mattbildern 71 und 72 ist der weiße König nur eine Nebenfigur. Seine Aufgabe könnte jeder andere Stein von Weiß lösen. Siehe Bild 72: Entferne den weißen König von f6 und stelle einen weißen Turm auf é7. Nun deckt der Turm die mattsetzende Dame. Es ist auch dann Matt, wenn du statt des weißen Königs auf f6 einen weißen Läufer auf é5 setzt. Auch ein Springer oder ein

Bauer können der Dame beim Mattsetzen helfen. Die Dame allerdings muß von diesem Stein unbedingt geschützt werden. Würde sie sich erdreisten, ohne Schutz in den Schlagbereich des schwarzen Königs zu treten – gäbe es kein Matt: der König würde sie schlagen.

Überflüssige Schachgebote

Bild 73: Bei ihrem nächsten Zug hat die Dame fünf verschiedene Felder zur Auswahl, von denen sie

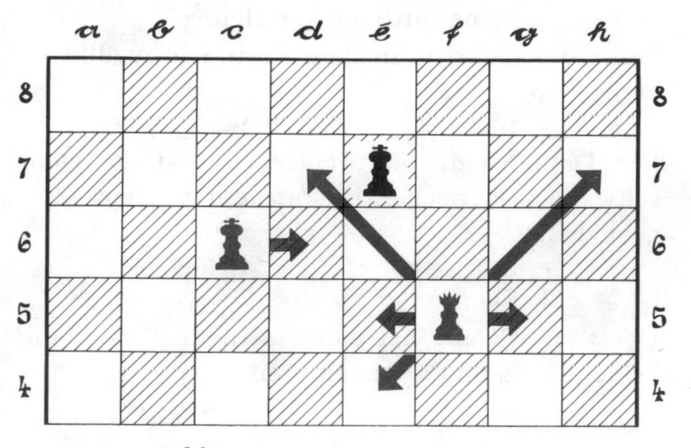

Bild 73: Ein Schach wäre falsch

dem schwarzen König Schach bieten könnte, nämlich: d7, é5, é4, g5, h7. Dies würde aber den Kampf unnötig verlängern.

Schränke lieber die Bewegungsfreiheit des verfolgten Königs ein!

Ausgangsstellung:

Weiß: Kc6, Df5	Schwarz: Ké7
1. Df5–g6	**1. Ké7–f8**

2. Dg6 – h7	**2. Kf8 – é8**
3. Dh7 – g7	**3. .....**

Der Zug verhindert die Rückkehr des schwarzen Königs nach f8.

3.	**3. Ké8 – d8**
4. Dg7 – f8#	

oder 4. Dg7 – d7#

Der schwarze König hat keine Zugmöglichkeit mehr, die Taktik ist geglückt.

Unerbittliche Verfolgung

Stelle die Figuren auf dein Brett wie in Bild 74 angegeben!

1. Dh4 – b4	**1. .....**

Die Dame sperrt die Felder c5 und d6. Dem schwarzen Herrscher ist nur ein einziger Zug geblieben:

1.	**1. Kd5 – c6**
2. Kf6 – é6	**2. .....**

Der weiße König hat damit seinem Rivalen die Felder d5, d6 und d7 genommen.

2.	**2. Kc6 – c7**
3. Db4 – b5	**3. .....**

Vorsicht! Falls Schwarz jetzt mit 3. ..... Kc7 – d8 antwortet, wird er von 4. Db5 – b8# oder von 4. Db5 – d7# mattgesetzt.

3.	**3. Kc7 – c8**

Weiß muß aufpassen, daß die Partie nicht unentschieden endet, da Schwarz nach 4. Db5 – b6 patt wäre. Patt bedeutet hier: der schwarze König kann nicht mehr ziehen, obwohl ihm nicht Schach geboten wurde. Vergleiche auch »Patt« (Seite 35)!

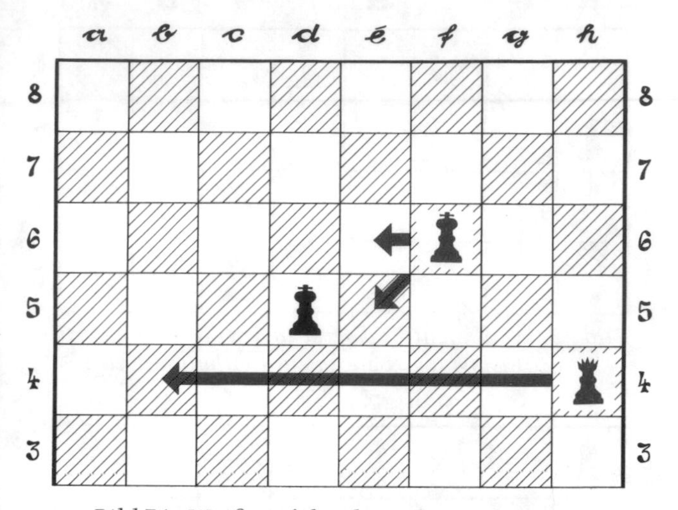

Bild 74: Weiß verfolgt den schwarzen König.

	4. Ké6 – d6	**4. Kc8 – d8**
	5. Db5 – d7#	
oder	5. Db5 – b8#	

5. *Aufgabe*

Die folgenden fünf kleinen Probleme (Bild 75–79) sind besonders wichtig. An ihnen kannst du die vielseitige Verwendung und die unerwarteten Schwenkungen der Dame kennen lernen.
Verzage nicht, wenn du mit diesen Aufgaben nicht fertig wirst. Schau einfach die Lösungen an (Seite 124–125)! Wenn du nach einiger Zeit wieder auf sie zurückkommst, werden sie dir leichter fallen.
Die Bilder 75 bis 79 findet ihr auf den folgenden Seiten.

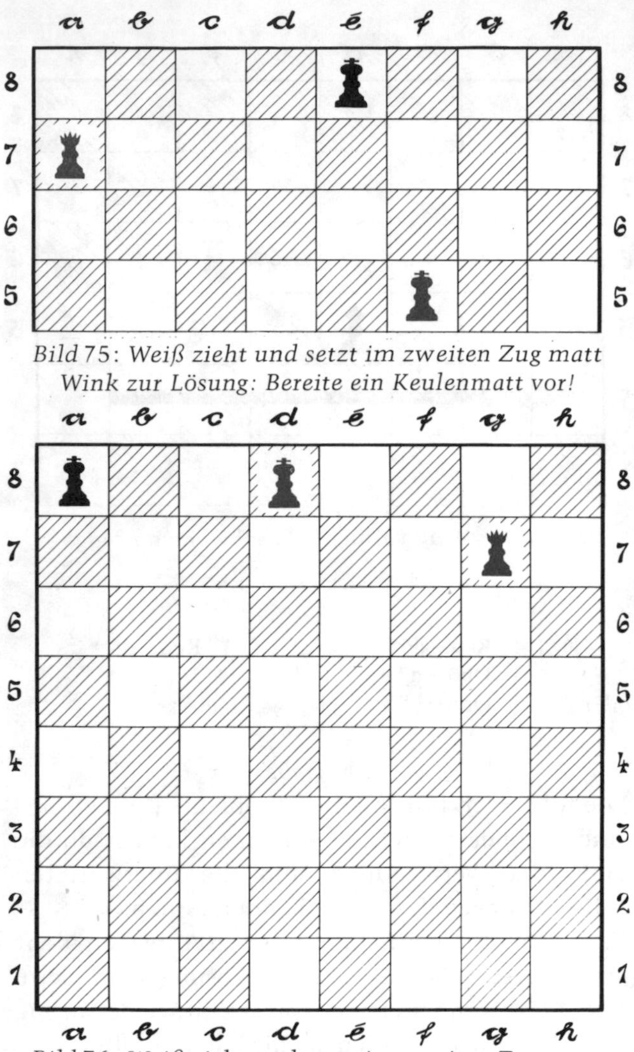

Bild 75: Weiß zieht und setzt im zweiten Zug matt
Wink zur Lösung: Bereite ein Keulenmatt vor!

Bild 76: Weiß zieht und setzt im zweiten Zug matt.
Wink zur Lösung: Mit welchem Zug kann Weiß den schwarzen König nach a7 zwingen?

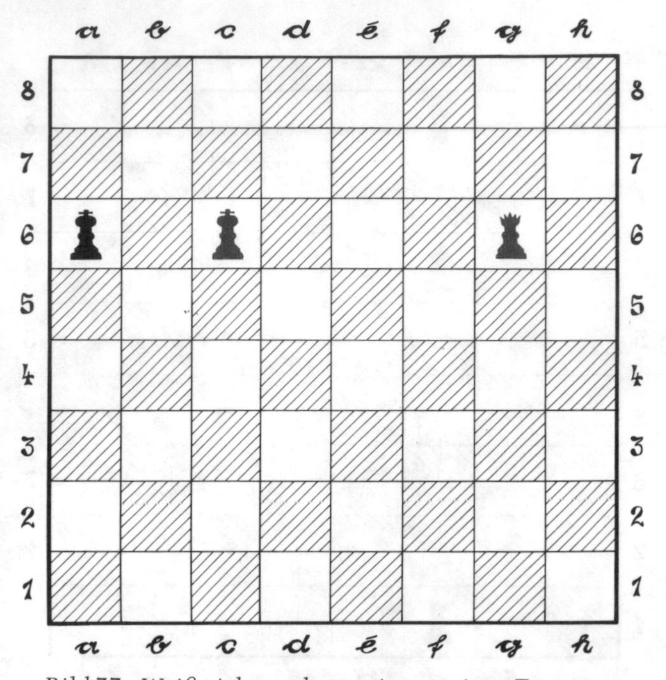

Bild 77: Weiß zieht und setzt im zweiten Zug matt. Wink zur Lösung: Bereite ein Keulenmatt durch eine hübsche Schwenkung der Dame vor!

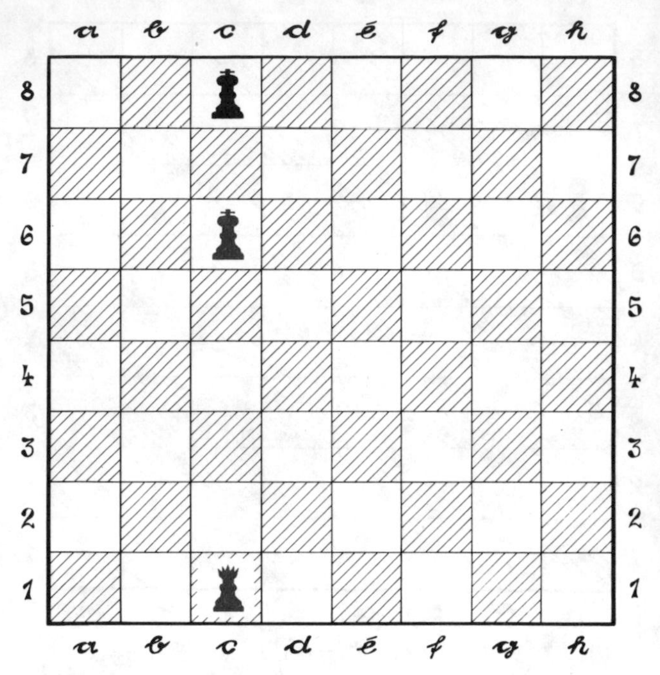

Bild 78: Weiß zieht und setzt im zweiten Zug matt. Wink zur Lösung: Das ist bereits eine harte Nuß. Weiß muß verhindern, daß der schwarze König nach b8 zieht und muß zugleich ein Matt auf der anderen Seite vorbereiten. Die Lösung ist gut versteckt.

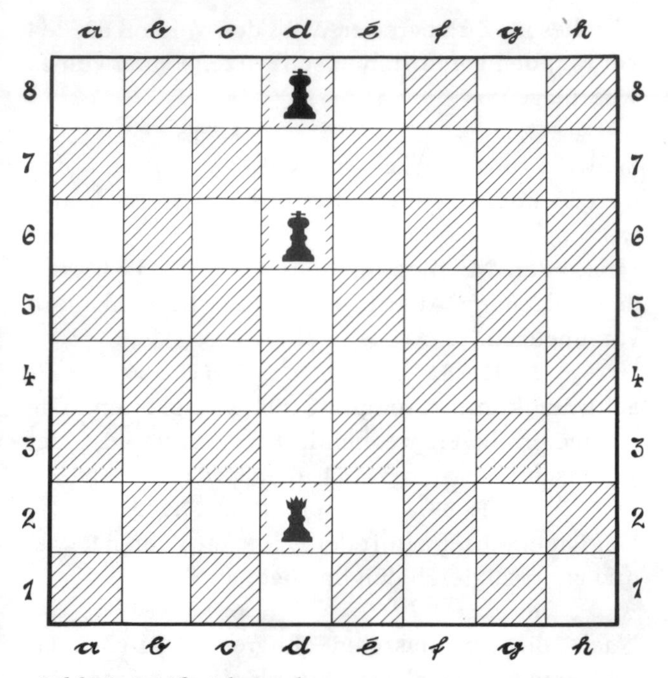

Bild 79: Weiß zieht und setzt im zweiten Zug matt. Wink zur Lösung: Weiß erzwingt links und rechts das Dame-König-Matt.

Zum Nachspielen und Mitdenken

Sechste Partie

Ein anderes Schäfermatt

Weiß:	Schwarz:
1. é2–é4	**1. é7–é5**
2. Sg1–f3	**2. Sb8–c6**
3. Lf1–c4	**3. Lf8–c5**
4. c2–c3	**4. .....**

Mit diesem Zug bereitet Weiß den Vorstoß d2 – d4 vor, um den gefährlichen schwarzen Läufer von c5 wegzujagen.

4. ..... **4. Sg8 – f6**

Schwarz hat mit einem Gegenangriff auf den ungedeckten weißen Königsbauern é4 geantwortet.

Eine andere Möglichkeit wäre 4. .....Lc5 – b6, um dem folgenden Angriff des weißen Damenbauern vorzubeugen.

5. d2 – d4 **5. Lc5 – b6**

Schwarz kommt in große Schwierigkeiten. Die einzige erfolgversprechende Fortsetzung wäre der Abtausch: 5. ..... é5 × d4; 6. c3 × d4, Lc5 – b4 + .

6. d4 × é5 **6. .....**

Der Bauer öffnet damit der Dame die Bahn nach d5 und greift zugleich den Springer an.

6. ..... **6. Sf6 × é4**

Nach diesem hastigen Zugreifen bricht das schwarze Spiel wie ein Kartenhaus zusammen.

Mit dem kaltblütigen 6. ..... Sf6 – g4 hätte Schwarz auf Kosten eines Bauern zumindest das Schlimmste verhüten können. So z. B. 7. Dd1 – d5 (es droht Matt auf f7), 0–0.

7. Dd1 – d5 **7. Sé4 × f2**

Schwarz hätte das Matt nur durch Hergabe des Springers abwenden können. Allerdings wäre das Spiel nach 7. ..... 0–0; 8. Dd5 × Sé4 – mit einer Figur weniger – nicht mehr sehr verlockend gewesen.

8. Dd5 × f7 #

siehe Bild 48

Was wir über den Springer wissen sollten

Der prächtige Springer ist die Lieblingsfigur vieler Schachspieler. Er wird auch Pferd genannt. Seine Gangart ist der Rösselsprung. Wie der Springer zieht, liest du am besten noch einmal in den Regeln.

Bild 80: *Von der Mitte aus springt der Springer in einem Zug auf Felder, die die Dame von der gleichen Stelle aus nur in zwei Zügen erreichen kann.*

In Bild 80 siehst du einen Ausschnitt aus einem Schachbrett. Dort sind die Züge der Dame (vom mittleren Feld aus) eingezeichnet. Die Dame, die sich wie der Turm oder wie der Läufer bewegen kann, besetzt aber nicht mit einem Zug die mit einem x bezeichneten Felder. Diese kann der Springer vom mittleren Feld aus mit einem Satz erreichen.

Der seltsame Springer

Der Springer ist der einzige Stein, der eigene und feindliche Steine überspringen darf. Merke jedoch:

das Rössel überspringt zwar die Steine des Gegners, schlägt sie dabei aber nicht. Sie bleiben unversehrt an ihrem Platz. Der Springer darf nur jene feindlichen Steine schlagen, die auf Feldern stehen, die er besetzen kann.

Bild 81: Der Springer kann jeden der acht Steine schlagen.

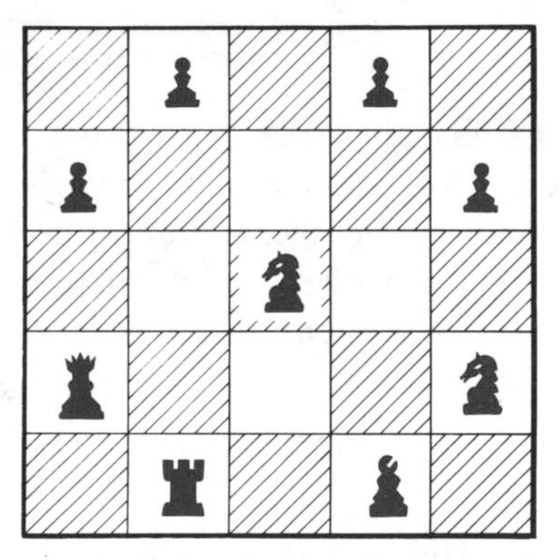

Bild 82: Der Springer hat keinen Zug, denn Steine seiner eigenen Farbe halten die ihm erreichbaren Felder besetzt.

Der gefährliche Springer

Der Springer ist deshalb so gefährlich, weil er gegnerische Steine angreifen kann, die ihn selbst nicht erreichen können. Ein Springerschach kann nur durch das Wegziehen des Königs oder durch Schlagen des Springers verhindert werden. Dem Springer kann man den Weg nicht verstellen.

Der Springer kann deshalb auch Schach bieten oder gar mattsetzen, wenn der König des Gegners von Untertanen umgeben ist (Bild 83 und 84).

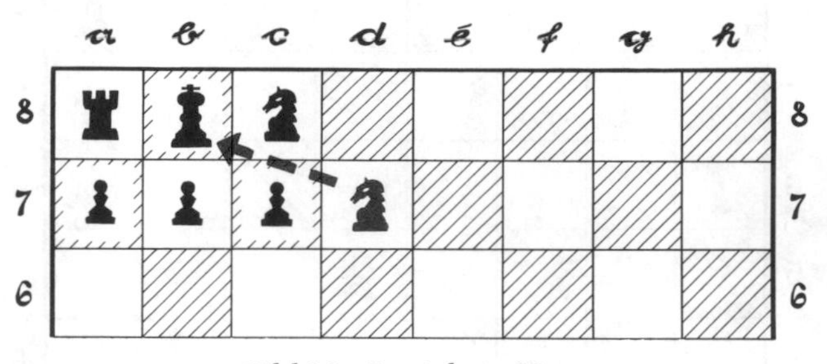

Bild 83: *Ersticktes Matt*

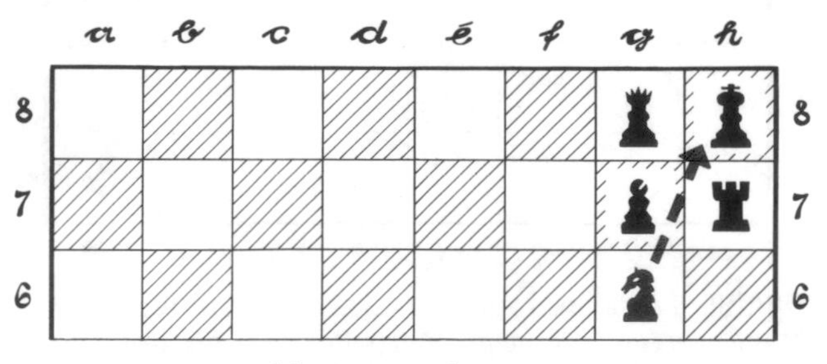

Bild 84: *Ersticktes Matt*

Gegen den alleinstehenden gegnerischen König allerdings tut sich der Springer schwer. Er braucht (außer seinem eigenen König) mindestens noch eine weitere Figur, um mattsetzen zu können.

6. *Aufgabe*

Versuche, die folgenden vier kleinen Probleme (Bild 85–88) zu lösen!

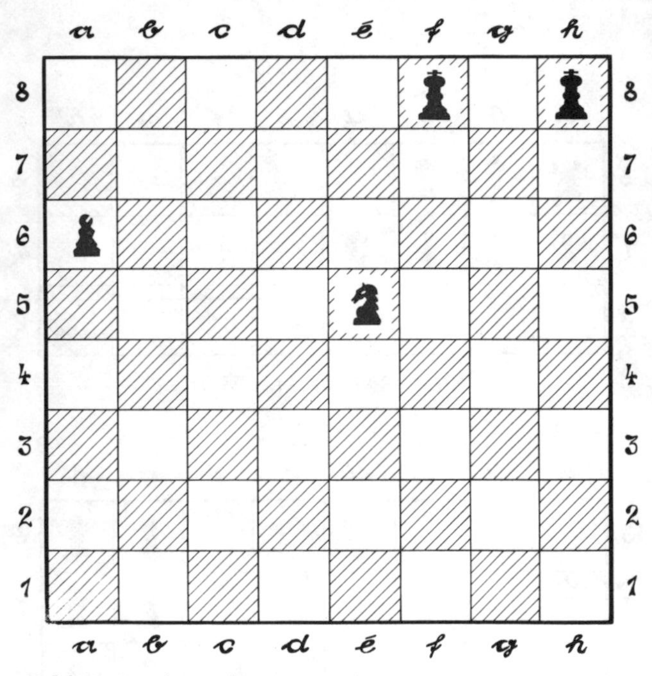

Bild 85: Läufer und Springer setzen matt in zwei Zügen. Wink zur Lösung: Das Mattspiel beginnt mit einem Schachgebot.

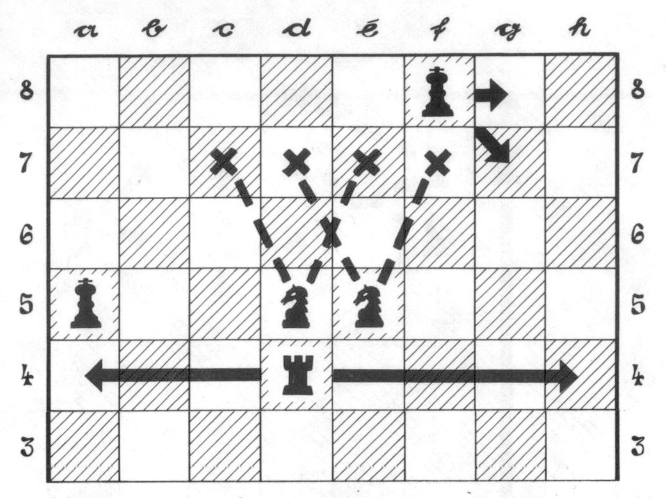

Bild 86: Turm und Springerpaar setzen matt in zwei Zügen. Wink zur Lösung: Die beiden Springer versperren dem König die mit Kreuzen versehenen Felder. Verhindere den Ausbruch des Königs!

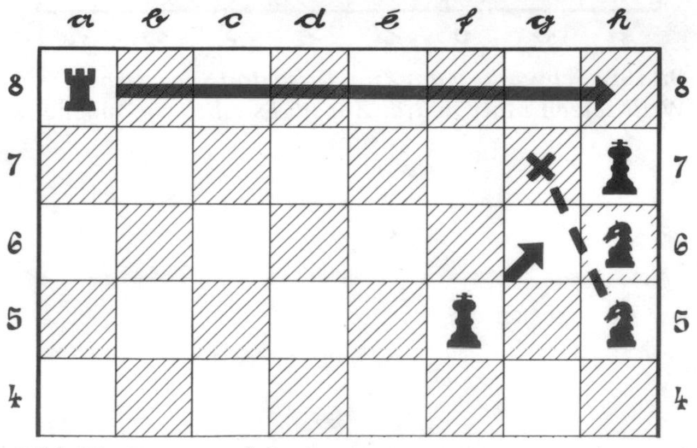

Bild 87: Turm und Springerpaar setzen matt in zwei Zügen. Wink zur Lösung: Wie kannst du erzwingen, daß der König nach h8 zieht?

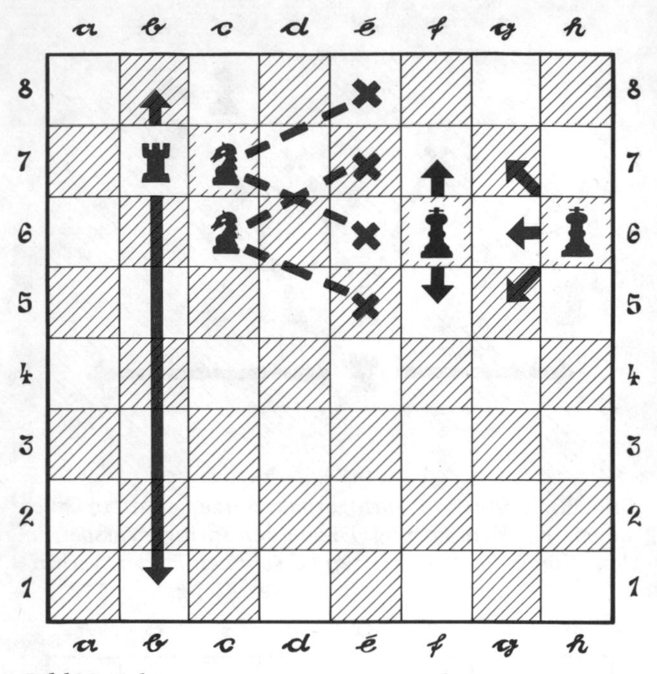

Bild 88: Schwarz ist am Zug. Turm und Springerpaar von Weiß setzen matt in drei Zügen. Es gibt zwei mögliche Lösungen.

Zum Nachspielen und Mitdenken

Siebente Partie

Eine schlaue Falle

Weiß:	Schwarz:
1. é2–é4	**1. é7–é5**
2. Sg1–f3	**2. .....**

Die Vorteile des Zuges sind:

(1) Der Springer greift den ungeschützten Bauern é5 an und zwingt damit Schwarz zu Gegenmaßnahmen.

(2) Der Springer kommt auf sein bestes Feld. Er beherrscht von hier acht wichtige Felder. Von h3 aus würde der Springer nur vier Felder kontrollieren. Auf é2 blockierte der Springer den Läufer und die Dame und wirkte lediglich auf sechs Felder.

(3) Der Springer kann später über é5 oder g5 auch an den Angriffen gegen den schwachen Punkt f7 teilnehmen.

2.	**2. Sb8–c6**

Schwarz deckt den angegriffenen Bauern é5.

3. Lf1–c4	**3. Lf8–c5**
4. d2–d3	**4. .....**

Das ist die einfachste Fortsetzung. Weiß öffnet die Bahn für den Damenläufer c1. Überdies verteidigt der Bauer d3 den Läufer und den ungeschützten Bauern é4.

4.	**4. d7–d6**

Schwarz öffnet damit ebenfalls dem Damenläufer c8 die Bahn und deckt sowohl den Läufer wie auch den Bauern é5.

5. Sf3 – g5 **5. .....**

Weiß greift den schwachen Bauern f7 zum zweitenmal an und beabsichtigt, mit dem folgenden Sg5 × f7 den Turm h8 zu erbeuten. Dieser Angriff ist jedoch verfrüht. Man spiele in der Eröffnung nicht auf Turmgewinn, sondern bringe möglichst schnell seine Figuren heraus. Besser wäre 5. Sb1 – c3.

5. ..... **5. Dd8 – f6**

Schwarz läßt den Bauern f7 einstehen – also schlagen. Er opfert nicht nur den Bauern, sondern auch den Turm. Der Bf7 und Th8 sind Lockspeisen. Die Dame bereitet einen tödlichen Gegenschlag vor. Solch einen schlauen Zug nennt man Falle.

6. Sg5 × f7 **6. .....**

Von Habgier verblendet sieht Weiß nur die Möglichkeit des Turmraubs. Er hat es versäumt zu prüfen, was der Gegner mit seinem Zug beabsichtigt. Hätte Weiß die Stellung richtig angeschaut, hätte er bestimmt die durchsichtige Mattdrohung bemerkt und sie durch 6. 0–0 abgewendet. Nun erreicht ihn aber das wohlverdiente Mißgeschick:

6. ..... **6. Df6 × f2#**

Was wir über den Bauern wissen sollten

Wie der Bauer zieht, wissen wir bereits aus den Regeln: geradeaus vorwärts. Der Bauer darf nie den Rückzug antreten.

Der Bauer schlägt schräg vorwärts

Der Bauer besitzt eine Eigenschaft, die ihn von den anderen Figuren unterscheidet: Er schlägt anders, als er zieht. Der Bauer schlägt schräg vorwärts.

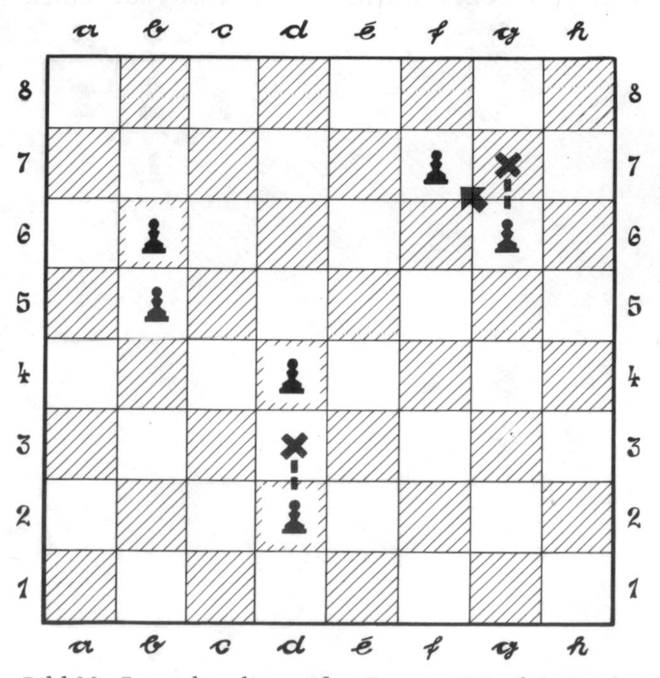

Bild 89: Betrachte die weißen Bauern! Was könnte der b-Bauer, der d-Bauer oder der g-Bauer als Nächstes tun?

Der b-Bauer in Bild 89 kann nicht mehr ziehen. Auch der schwarze b-Bauer ist in seinem Vormarsch gehemmt. Sie dürfen einander nicht schlagen.
Der d-Bauer darf nur von d2 nach d3 ziehen. Er darf den schwarzen Bauern nicht schlagen.
Der g-Bauer kann den schwarzen Bauern f7 schlagen. Es besteht jedoch keine Schlagpflicht, er darf auch nach g7 ziehen.
Der Bauer b2 in Bild 90 kann die Dame schlagen oder nach Belieben einen Einzelschritt oder einen

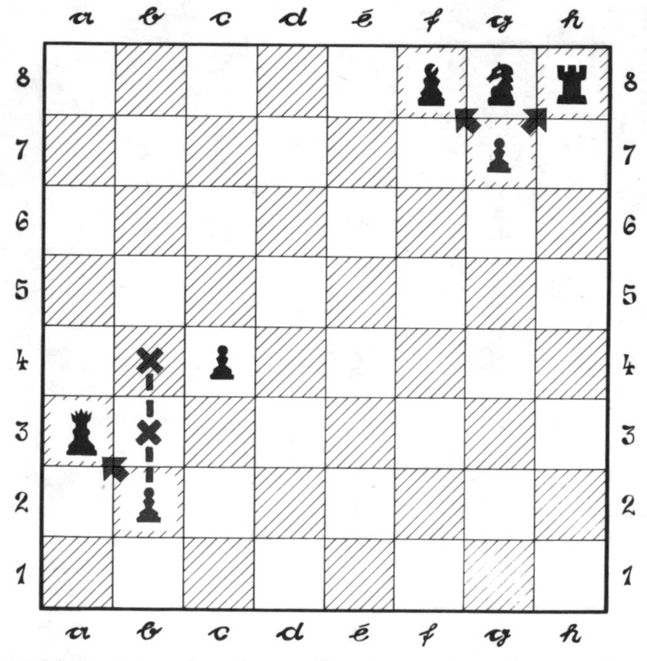

Bild 90: Betrachte die weißen Bauern! Was könnte der b-Bauer oder der g-Bauer als Nächstes tun?

Doppelschritt machen. Den schwarzen Bauern c4 darf er nicht schlagen.
Der Bauer g7 kann entweder den Turm oder den Läufer schlagen – nicht aber den vor ihm stehenden Springer.

Die Umwandlung

Der Bauer zieht nur vorwärts; vielleicht erreicht einmal ein weißer Bauer die achte Reihe oder ein schwarzer die erste. Der Bauer, der bis in die letzte Reihe eingedrungen ist, kann nach Wahl des Spielers in eine Dame, einen Turm, einen Läufer oder in einen Springer umgewandelt werden. Nur König darf er nicht werden – und natürlich nicht ein feindlicher Offizier.
Du kannst soviele Bauern umwandeln, wie du in die letzte Reihe bringst. Man darf auch Bauern in eine zweite oder dritte Dame, in zusätzliche Läufer, Springer oder Türme umwandeln und ins Spiel bringen.
Meistens wird der Baucr in die stärkste Figur, also in eine Dame, umgewandelt. Sofort mit der Umwandlung beginnt der Bauer als Dame zu wirken.
Der Bauer kann auch durch Schlagen in die letzte Reihe kommen. Mit der Umwandlung darf der Bauer sofort Schach bieten oder mattsetzen, denn die Erreichung der letzten Reihe und die Umwandlung gelten als ein Zug (Bild 91 und 92).
Ein Anfänger geht meist sehr großzügig mit den Bauern um. Er verschenkt oft ohne Grund zwei bis drei Bauern. Das ist aber völlig falsch. Betrachte die Bauern als zukünftige Damen!

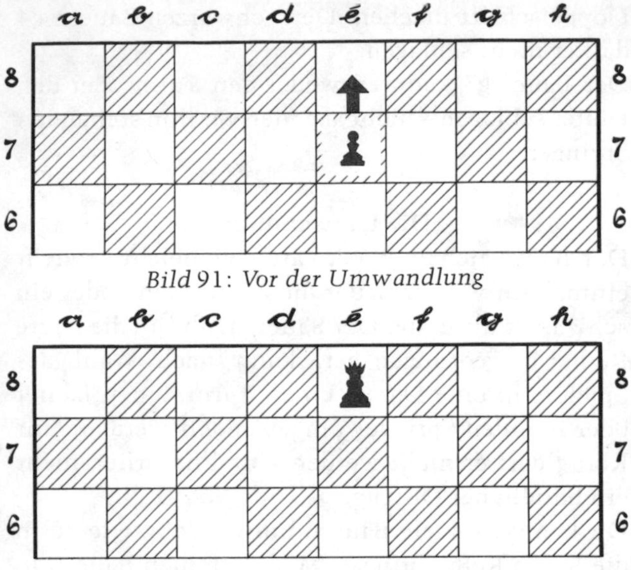

Bild 91: Vor der Umwandlung

Bild 92: Nach der Umwandlung é7 – é8(D)

Aber merke: Es muß nicht immer eine Dame sein!

Es kommt manchmal vor, daß die Beförderung des Bauern zur Dame ungünstig ist, z. B. wenn man ein Patt vermeiden will oder mit dem Springer Schach bieten kann (Bild 93). Hinter die Zugbeschreibung setzt man in Klammern den Buchstaben der eingetauschten Figur, z. B. é7 – é8(D).

Hier wäre die Damenumwandlung falsch: f7 – f8(D), Db7 – b5#. Richtig ist: f7 – f8(S)#.

Die Umwandlung in einen Turm oder Läufer geschieht nur dann, wenn man das drohende Patt vermeiden will.

Bild 94 ist ein Problem von C. Tomlinson (1845). Weiß zieht und setzt im zweiten Zug matt.

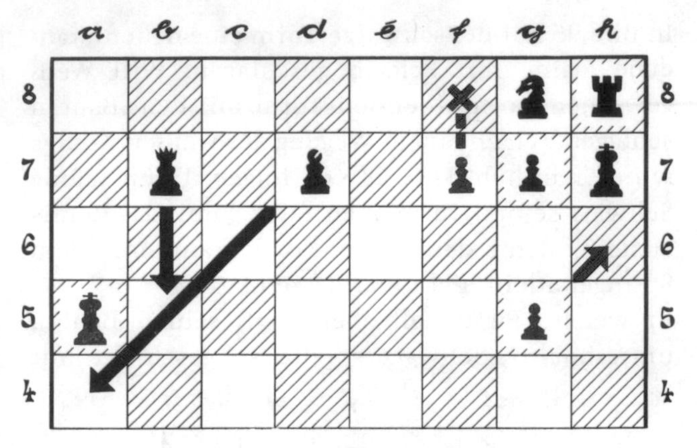

Bild 93: *Was spielt nun Weiß?*

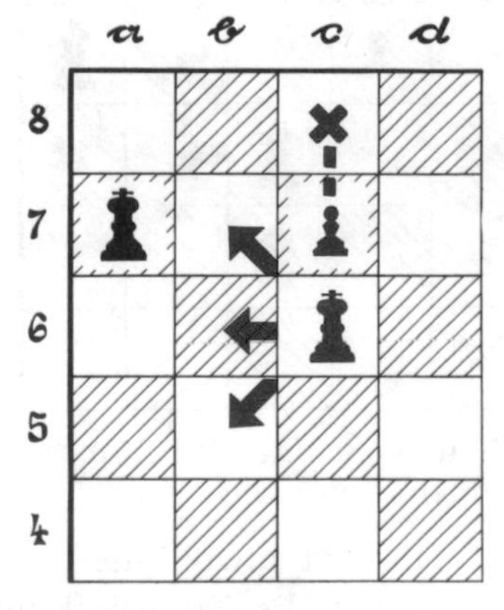

Bild 94: *Matt in zwei Zügen*

Verkehrt wäre c7–c8(D) Patt. Weiß wählt lieber einen Turm:

1. c7–c8(T)	**1. Ka7–a6**
2. Tc8–a8#	

In Bild 95 hat der schwarze Turm eine neuentstandene Dame mit Schach geschlagen. Will Weiß gewinnen, so muß er den Turm mit dem Bauern schlagen. (Nach einem Wegzug des weißen Königs würde nämlich Tf8 – é8 × é7 folgen. Dann würde Schwarz seinen Turm opfern und somit das Remis sichern, denn der weiße König kann mit dem Springer allein nicht mattsetzen.)
In welche Figur soll aber Weiß seinen Bauern umwandeln? Schwarz spielte so geschickt mit

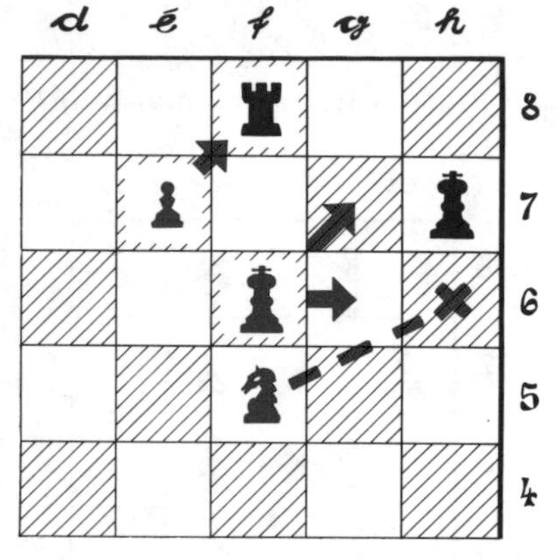

Bild 95: Der Bauer é7 schlägt den Turm f8 und wird in einen Läufer umgewandelt.

seinem König, daß jetzt sowohl die Umwandlung in eine Dame als auch die Umwandlung in einen Turm Patt wäre. Nach 1.é7 × Tf8(S)+ ist das Spiel gleichfalls remis, weil zwei Springer das Matt nicht erzwingen können. Weiß zieht also:

1. é7 × Tf8(L)	**1. Kh7 – g8**
2. Lf8 – h6	**2. Kg8 – h7**
3. Kf6 – f7	**3. Kh7 – h8**

Will Weiß mattsetzen, muß der Springer das Feld f6 oder g5 besetzen. Dazu braucht er aber drei Züge:

4. Sf5 – g3 (d6)	**4. Kh8 – h7**

Der angegriffene Läufer muß wieder flüchten:

5. Lh6 – f8	**5. Kh7 – h8**
6. Sg3 – é4 (h5)	**6. Kh8 – h7**
7. Sé4 – f6 (g5) +	**7. Kh7 – h8**
8. Lf8 – g7 #	

7. Aufgabe

Versuche, die folgenden drei kleinen Probleme zu lösen (Bild 96–98)!

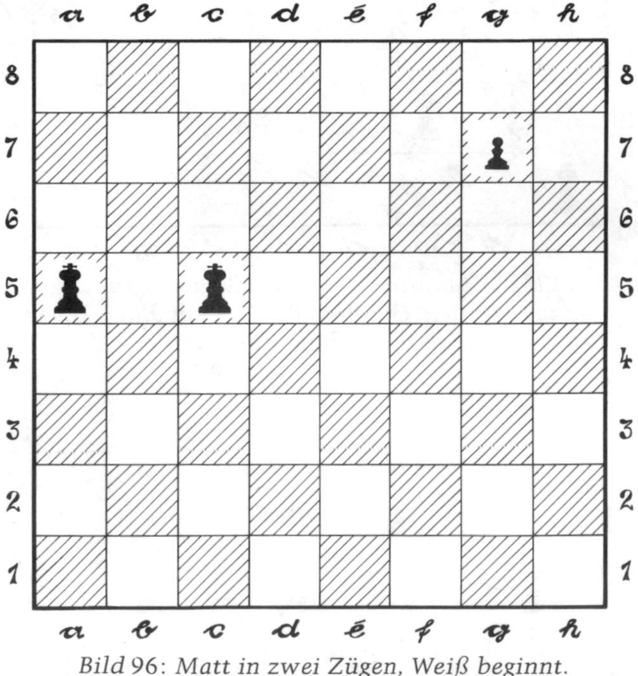

Bild 96: Matt in zwei Zügen, Weiß beginnt. Es gibt zwei Lösungen.

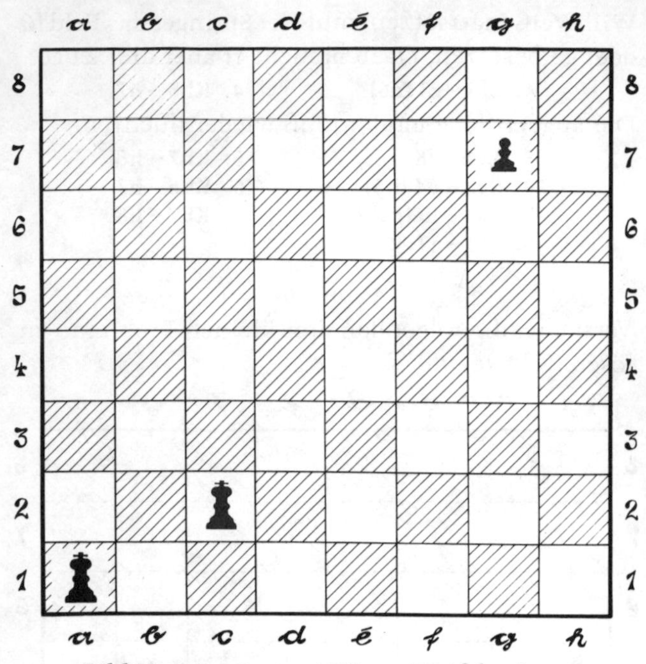

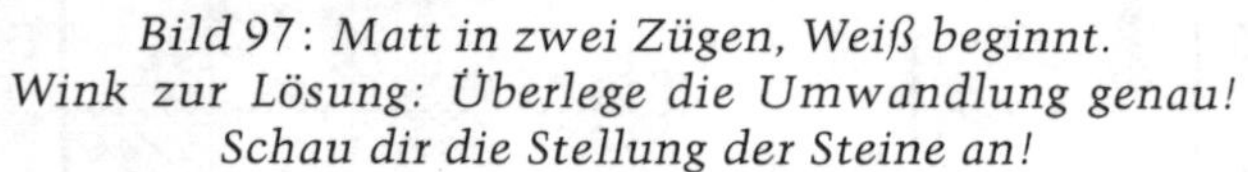

Bild 97: Matt in zwei Zügen, Weiß beginnt.
Wink zur Lösung: Überlege die Umwandlung genau!
Schau dir die Stellung der Steine an!

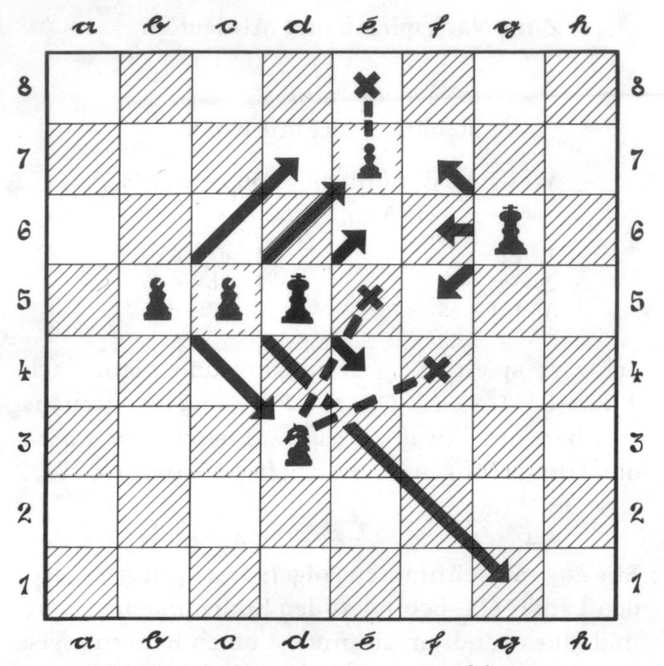

Bild 98: Matt in zwei Zügen, Weiß beginnt.
Wink zur Lösung: Durch die Umwandlung des Bauern kann Weiß in zwei Zügen gewinnen. Welche Figur soll Weiß wählen? Es gibt zwei Lösungen.

Zum Nachspielen und Mitdenken

Achte Partie

Verstecktes Matt mit Bauer

Weiß: M.W. Sullivan Schwarz: N.N.

USA um 1960

1. é2–é4	**1. é7–é5**
2. Sg1–f3	**2. Sb8–c6**
3. Lf1–c4	**3. d7–d6**

Schwarz spielt auf Verteidigung und plant nach 4. d2–d4, Lf8–é7. Der gewählte Zug ist durchaus spielbar, nur etwas zu passiv. Energischer wären die Fortsetzungen 3. ..... Lf8–c5 oder 3. ..... Sg8–f6.

4. 0–0 **4. Sg8–é7**

Ein Zug mit schlimmen Folgen. Der Springer sperrt den Läufer ein, behindert den König und die Dame und gibt obendrein zumindest einen Bauern preis. Der Springer gehörte nach f6 und nicht nach é7. Es sollte – wie oben schon vorgeschlagen – 4. ..... Lf8–é7 geschehen und danach 5. ..... Sg8–f6.

5. Sf3–g5 **5. f7–f6**

Nun könnte Weiß mit der einfachen Gabel 6. Sg5–f7 gleichzeitig Dame und Turm von Schwarz angreifen und zumindest den Turm erbeuten. Weiß hat aber einen besseren Plan: Er spielt auf Matt.

6. Lc4–f7+ **6. Ké8–d7**

Schwarz hat keine andere Wahl. Nun setzt Weiß auch die Dame ein:

7. Dd1–g4+ **7. f6–f5**

Schwarz spielt ohne Phantasie. Mit dem kaltblütigen Springeropfer: 7. ..... Sé7–f5 könnte er das Schlimmste verhüten, obwohl – nach richtigem Spiel – Weiß auch dann gewinnen würde. Die Gewinnführung ist allerdings schwierig und Weiß könnte dabei stolpern.

8. é4×f5 **8. .....**

Es droht: 9. f5–f6 (+), Sé7–f5; 10. Dg4×Sf5#. Deshalb versucht Schwarz, das drohende Matt mit einem Angriff auf die gegnerische Dame abzuwenden:

8. ..... **8. h7–h5**
9. f5–f6 (+) **9. .....**

Eine riesige Überraschung: Weiß opfert die Königin. Schwarz muß das Opfer annehmen.

9. ..... **9. h5×Dg4**

Weiß kündigt Matt in zwei Zügen an (Bild 99).

10. Lf7–é6+ **10. Kd7–é8**
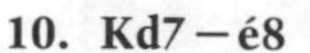
11. f6–f7#

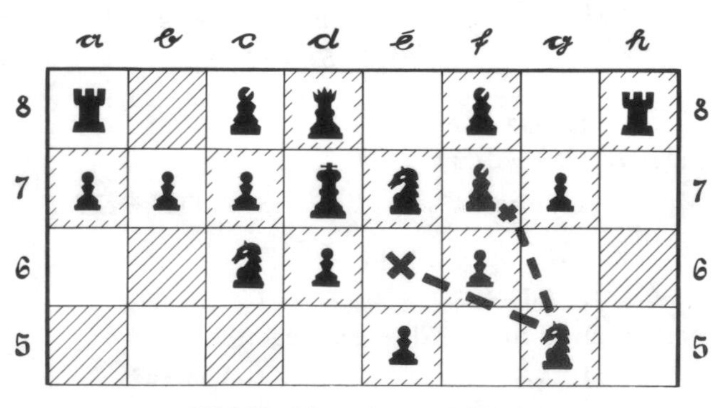

Bild 99: Matt in zwei Zügen

Lösungen der Aufgaben

1. *Aufgabe:*

Schwarz: Ké8, Dd8, Ta8 und h8, Lc8 und f8, Sb8 und g8, Ba7, b7, c7, d7, é7, f7, g7, h7.

3. *Aufgabe:*

Schwarz bleibt hier nur eine Abwehrmöglichkeit: die Flucht des Königs aus dem Schlagbereich des Turms. Der schwarze König hat vier Fluchtfelder: c5, c6, é5, é6.

4. *Aufgabe:*

1. Kf5–f6	**1. .....**

Es ist ja klar, daß nach 1. ..... Kh7–h6 2. Td3–h3# folgt.

1.	**1. Kh7–g8 (h8)**
2. Td3–d8#	

Beobachte, wie der Läufer das Fluchtfeld h7 versperrt!

5. *Aufgabe:*

Bild 75:

1. Kf5–é6	**1. Ké8–d8**
2. Da7–b8#	

(oder 2. Da7–d7#)

Möglich ist auch 1. ..... Ké8–f8; 2. Da7–f7#.

Bild 76:

1. Kd8–c7	**1. .....**

Natürlich nicht 1. Kd8–c8 wegen Patt!

1.	**1. Ka8–a7**
2. Dg7–a1#	

Bild 77:

1. Dg6 – b1	**1. Ka6 – a5**
2. Db1 – b5#	

Möglich ist auch 1. . . . . . Ka6 – a7; 2. Db1 – b7#.

Bild 78:

1. Dc1 – f4	**1. . . . . .**

Die Dame verbietet dem schwarzen König das Feld b8.

1.	**1. Kc8 – d8**
2. Df4 – f8#	

Bild 79:

1. Dd2 – d5	**1. Kd8 – é8**
2. Dd5 – g8#	

Möglich ist auch 1. . . . . . Kd8 – c8; 2. Dd5 – a8#.

6. *Aufgabe:*

Bild 85:

1. Sé5 – f7 +	**1. Kh8 – h7**
2. La6 – d3#	

Bild 86:

1. Td4 – g4	**1. Kf8 – é8**
2. Tg4 – g8#	

Bild 87:

1. Sh6 – g8	**1. Kh7 – h8**
2. Sg8 – f6(#)	

Nebenlösung:

1. Ta8 – b8	**1. Kh7 × Sh6**
2. Tb8 – h8#	

Bild 88:

1.	**1. Kf6 – f5**
2. Tb7 – b4	**2. Kf5 – f6**
3. Tb4 – f4#	

Oder:

1.	**1. Kf6 – f7**
2. Tb7 – b8	**2. Kf7 – f6**
3. Tb8 – f8#	

7. Aufgabe:

Bild 96:

1. g7 – g8(D)	**1. Ka5 – a4**
2. Dg8 – a2#	

Möglich ist auch 1. ..... Ka5 – a6; 2. Dg8 – a8#.

Bild 97:

1. g7 – g8(T)	**1. .....**

Selbstverständlich nicht 1. g7 – g8(D) wegen Patt!

1.	**1. Ka1 – a2**
2. Tg8 – a8#	

Bild 98:

1. é7 – é8(L)	**1. .....**

Ein seltener Anblick: drei Läufer auf dem Brett!

1.	**1. Kd5 – é4**
2. Lé8 – c6#	

Möglich ist auch 1. ..... Kd5 – é6; 2. Lb5 – c4#.
Ebenso: 1. ..... Kd5 – é6; 2. Lé8 – f7#.